ẏPad

スケジュールページ
の
つかいかた
"month"には
期間を
記入する。
memo
month
1/1 → 1/14
topic
date
1見開き
2週間。
"topic"には
その日の特別な
できごとなどを
記入します。
スケジュールページは
ヨコに使います。
○→ ├─┤ といった
記号を用いると
わかりやすく
なります。
ひと目で
わかる。
スケジュール
ページ
タスク
ページ
"date"
には日付を
記入します。
1マスは
1cm × 1cm
の正方形に
なっています。
1年と
2週間分。
378日
メモページ

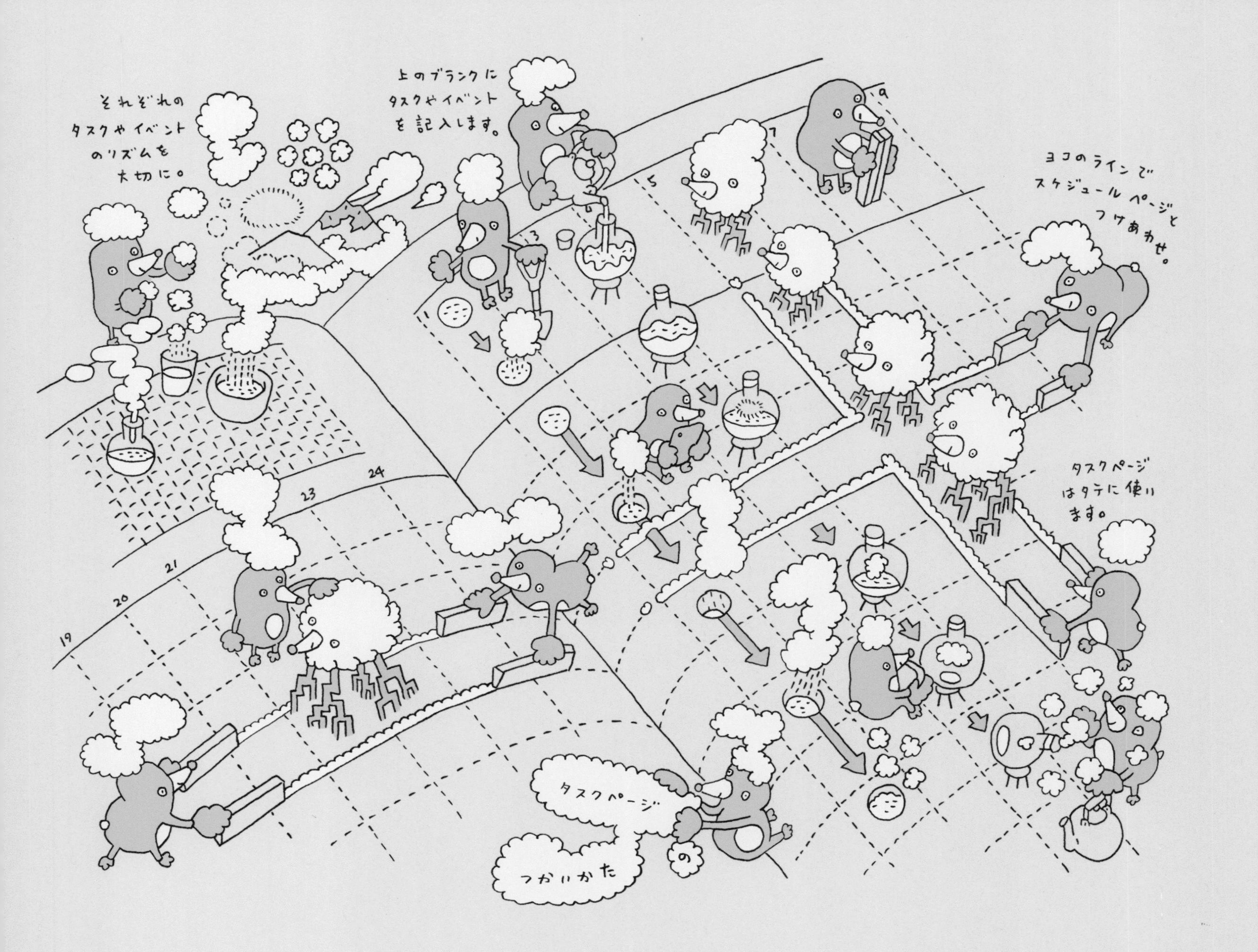
それぞれの
タスクやイベント
のリズムを
大切に。
上のブランクに
タスクやイベント
を記入します。
ヨコのラインで
スケジュールページと
フツあわせ。
タスクページ
はタテに使い
ます。
タスクページ
の
つかいかた
1
3
5
7
9
19
20
21
23
24

雨も
晴れも
くもりから。

no. 01

no. 02

no. 03

no. 04

no. 05

no. 06

no. 07

no. 08

no. 09

no. 10

no. 11

no. 12

no. 13

no. 14

no. 15

no. 16

no. 17

no. 18

no. 19

no. 20

no. 21

no. 22

no. 23

no. 24

no. 25

no. 26

no. 27

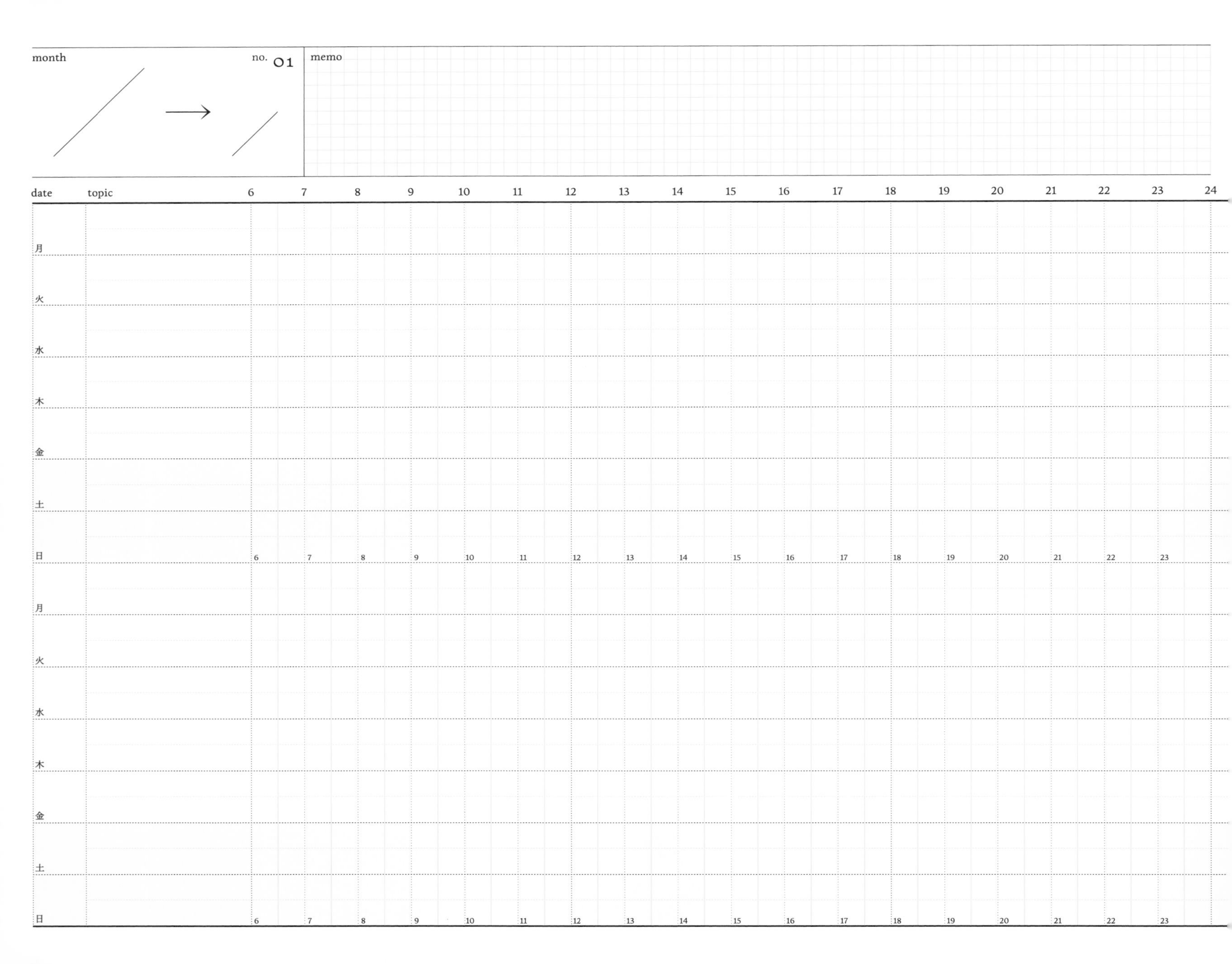
month
no. 01
memo
date
topic
6 7 8 9 10 11 12 13 14 15 16 17 18 19 20 21 22 23 24
月
火
水
木
金
土
日
6 7 8 9 10 11 12 13 14 15 16 17 18 19 20 21 22 23
月
火
水
木
金
土
日
6 7 8 9 10 11 12 13 14 15 16 17 18 19 20 21 22 23

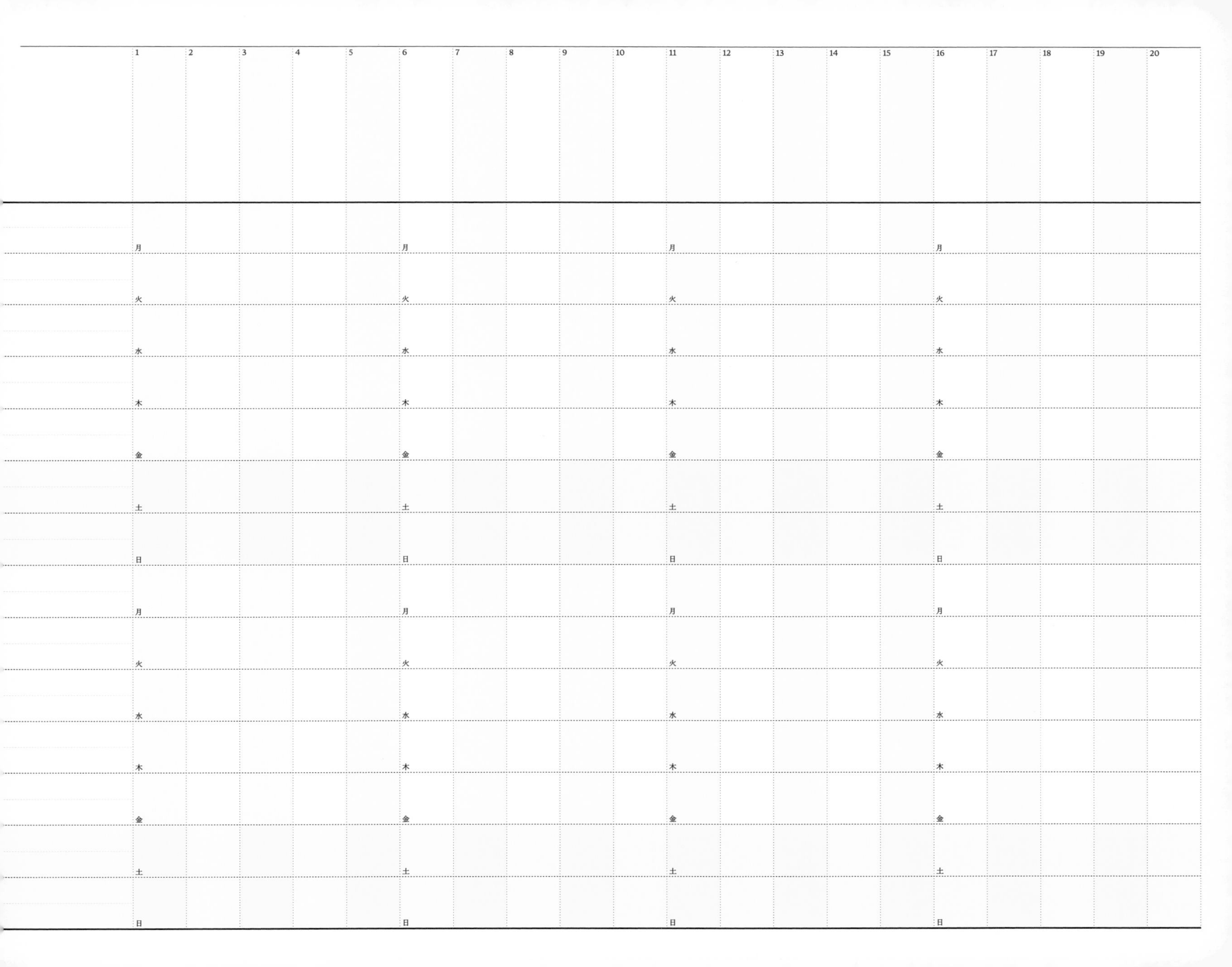

	1	2	3	4	5	6	7	8	9	10	11	12	13	14	15	16	17	18	19	20
	月					月					月					月				
	火					火					火					火				
	水					水					水					水				
	木					木					木					木				
	金					金					金					金				
	土					土					土					土				
	日					日					日					日				
	月					月					月					月				
	火					火					火					火				
	水					水					水					水				
	木					木					木					木				
	金					金					金					金				
	土					土					土					土				
	日					日					日					日				

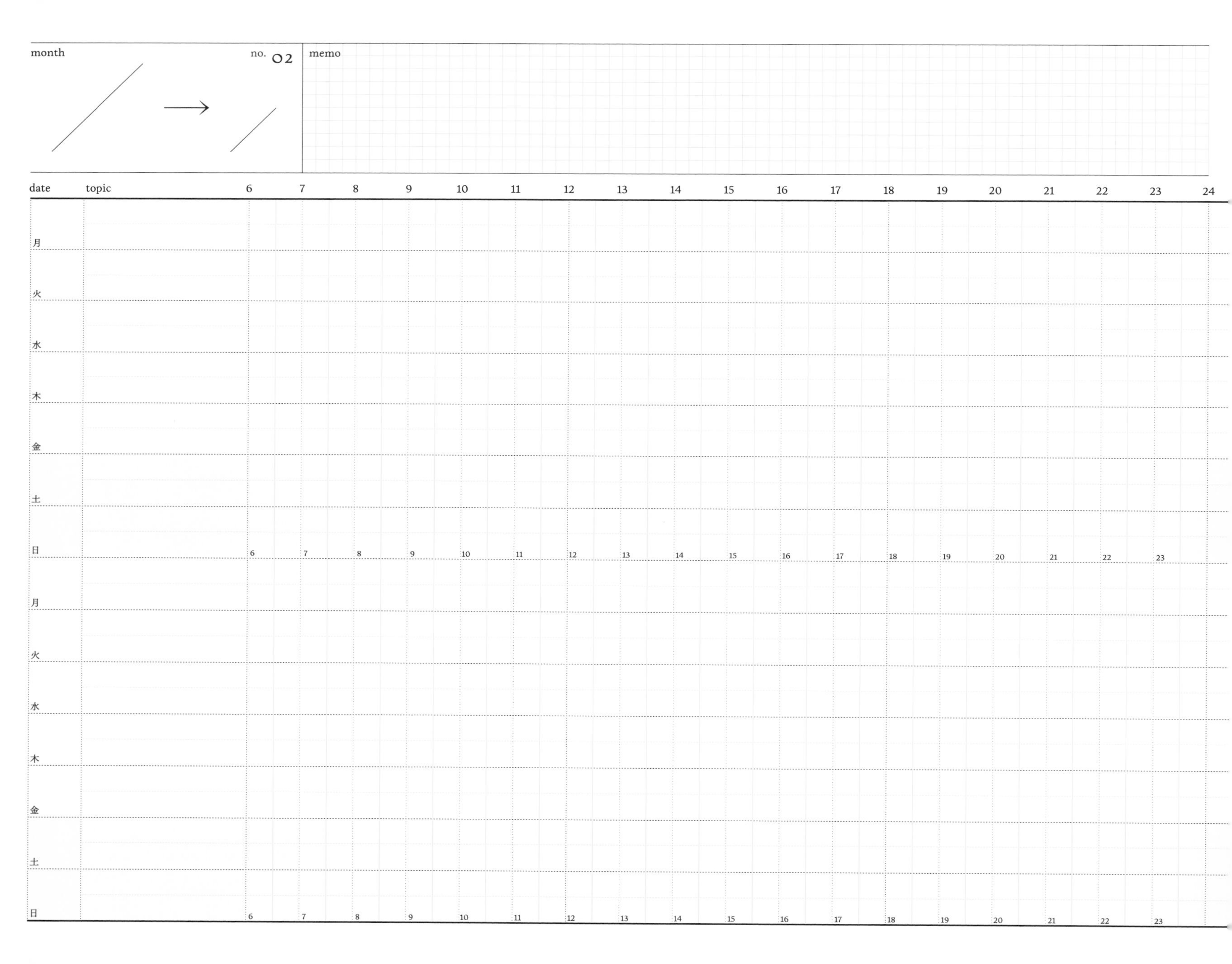
month
no. 02
memo
date
topic
6 7 8 9 10 11 12 13 14 15 16 17 18 19 20 21 22 23 24
月
火
水
木
金
土
日
6 7 8 9 10 11 12 13 14 15 16 17 18 19 20 21 22 23
月
火
水
木
金
土
日
6 7 8 9 10 11 12 13 14 15 16 17 18 19 20 21 22 23

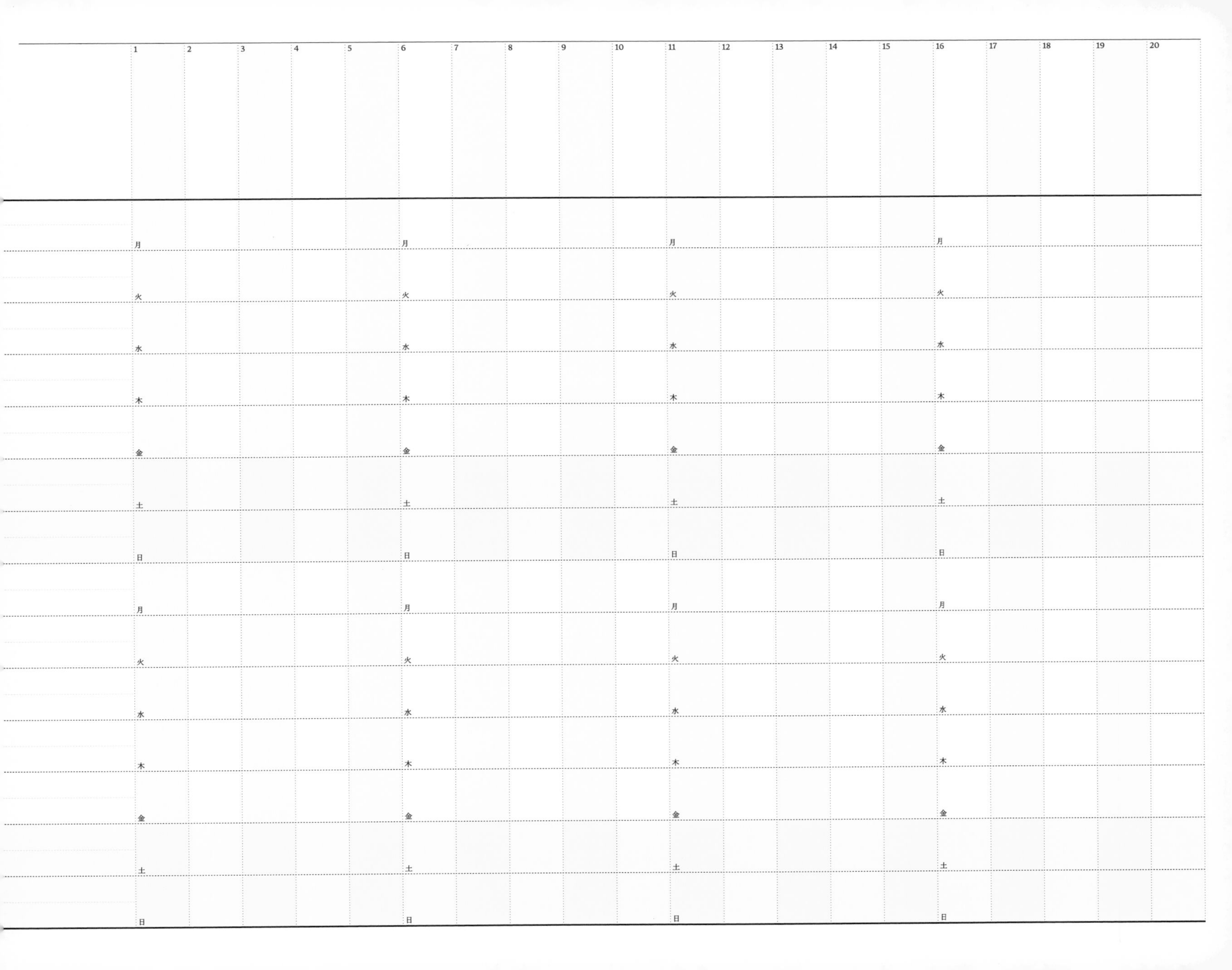
1 2 3 4 5 6 7 8 9 10 11 12 13 14 15 16 17 18 19 20
月
火
水
木
金
土
日
月
火
水
木
金
土
日

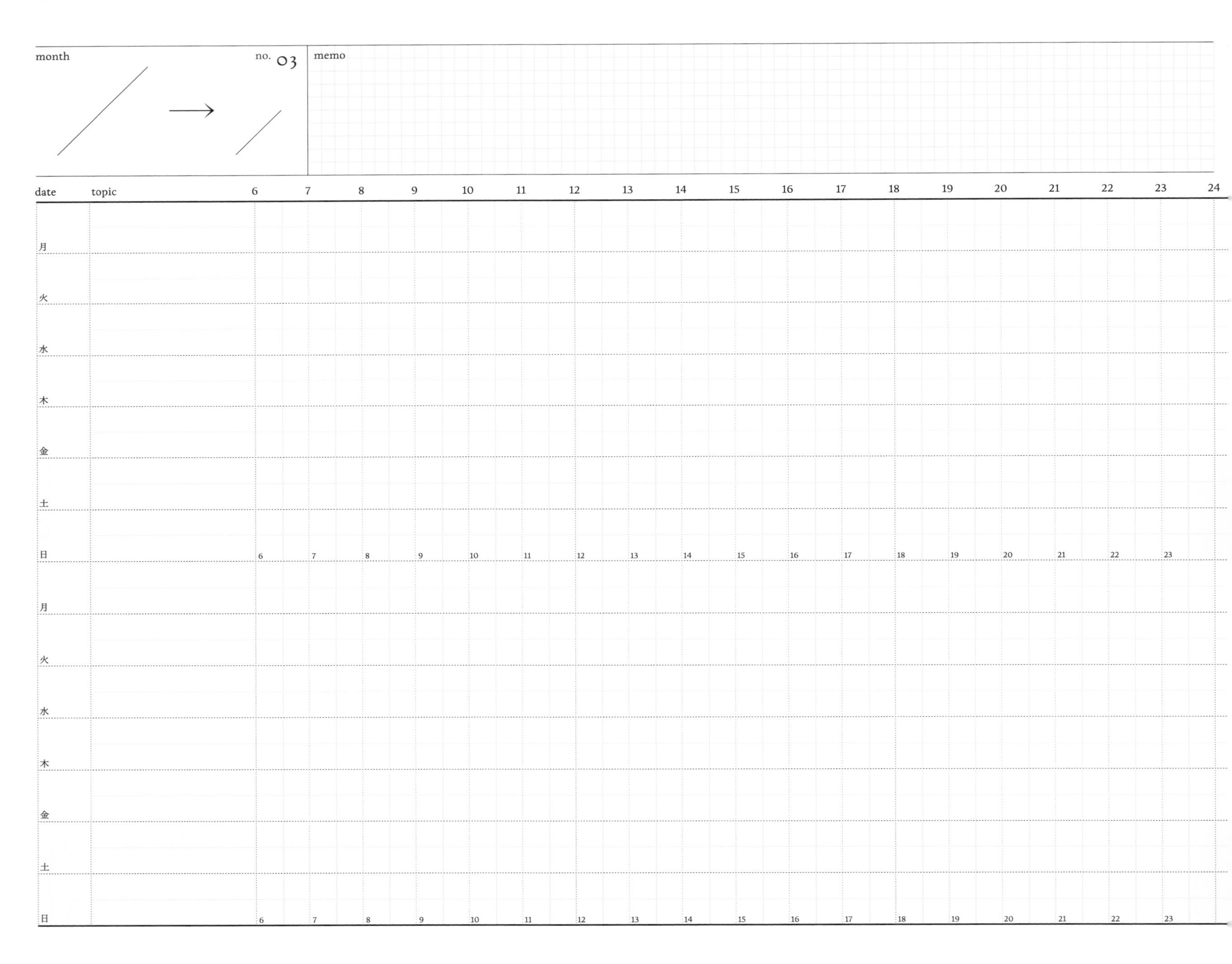

month → no. 03

memo

date	topic	6	7	8	9	10	11	12	13	14	15	16	17	18	19	20	21	22	23	24
月																				
火																				
水																				
木																				
金																				
土																				
日		6	7	8	9	10	11	12	13	14	15	16	17	18	19	20	21	22	23	
月																				
火																				
水																				
木																				
金																				
土																				
日		6	7	8	9	10	11	12	13	14	15	16	17	18	19	20	21	22	23	

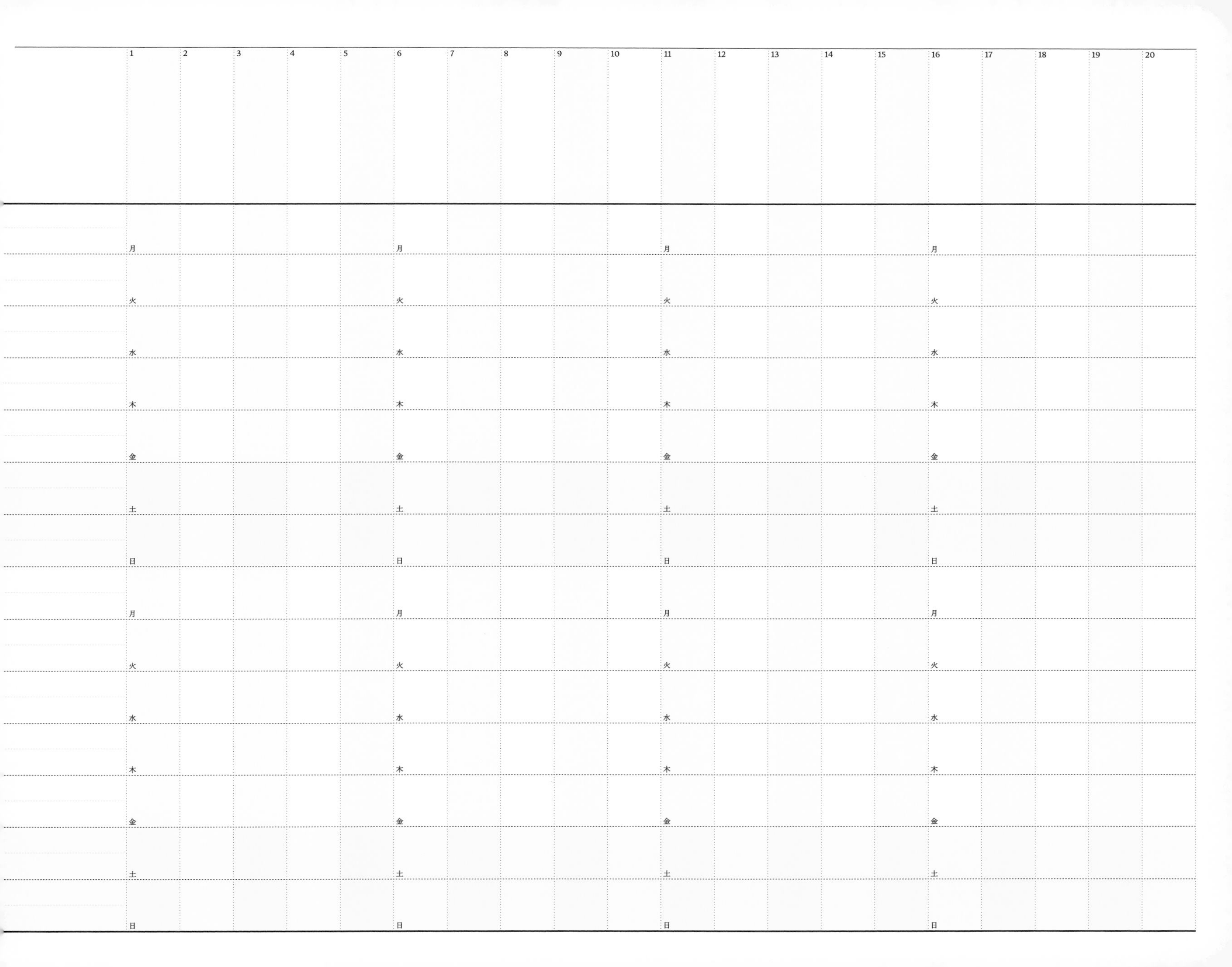

	1	2	3	4	5	6	7	8	9	10	11	12	13	14	15	16	17	18	19	20
	月					月					月					月				
	火					火					火					火				
	水					水					水					水				
	木					木					木					木				
	金					金					金					金				
	土					土					土					土				
	日					日					日					日				
	月					月					月					月				
	火					火					火					火				
	水					水					水					水				
	木					木					木					木				
	金					金					金					金				
	土					土					土					土				
	日					日					日					日				

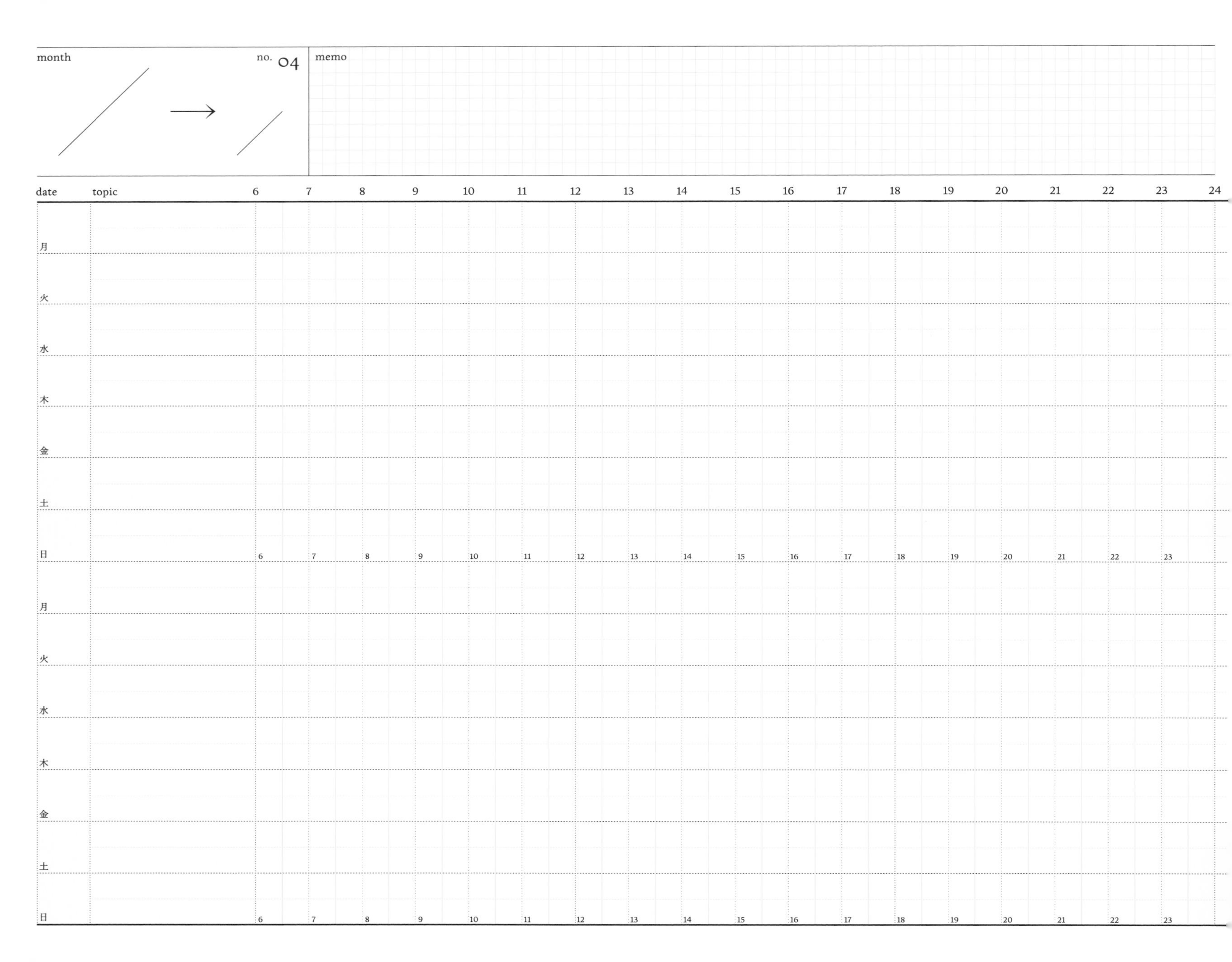

month ／ → ／ no. 04

memo

date	topic	6	7	8	9	10	11	12	13	14	15	16	17	18	19	20	21	22	23	24
月																				
火																				
水																				
木																				
金																				
土																				
日		6	7	8	9	10	11	12	13	14	15	16	17	18	19	20	21	22	23	
月																				
火																				
水																				
木																				
金																				
土																				
日		6	7	8	9	10	11	12	13	14	15	16	17	18	19	20	21	22	23	

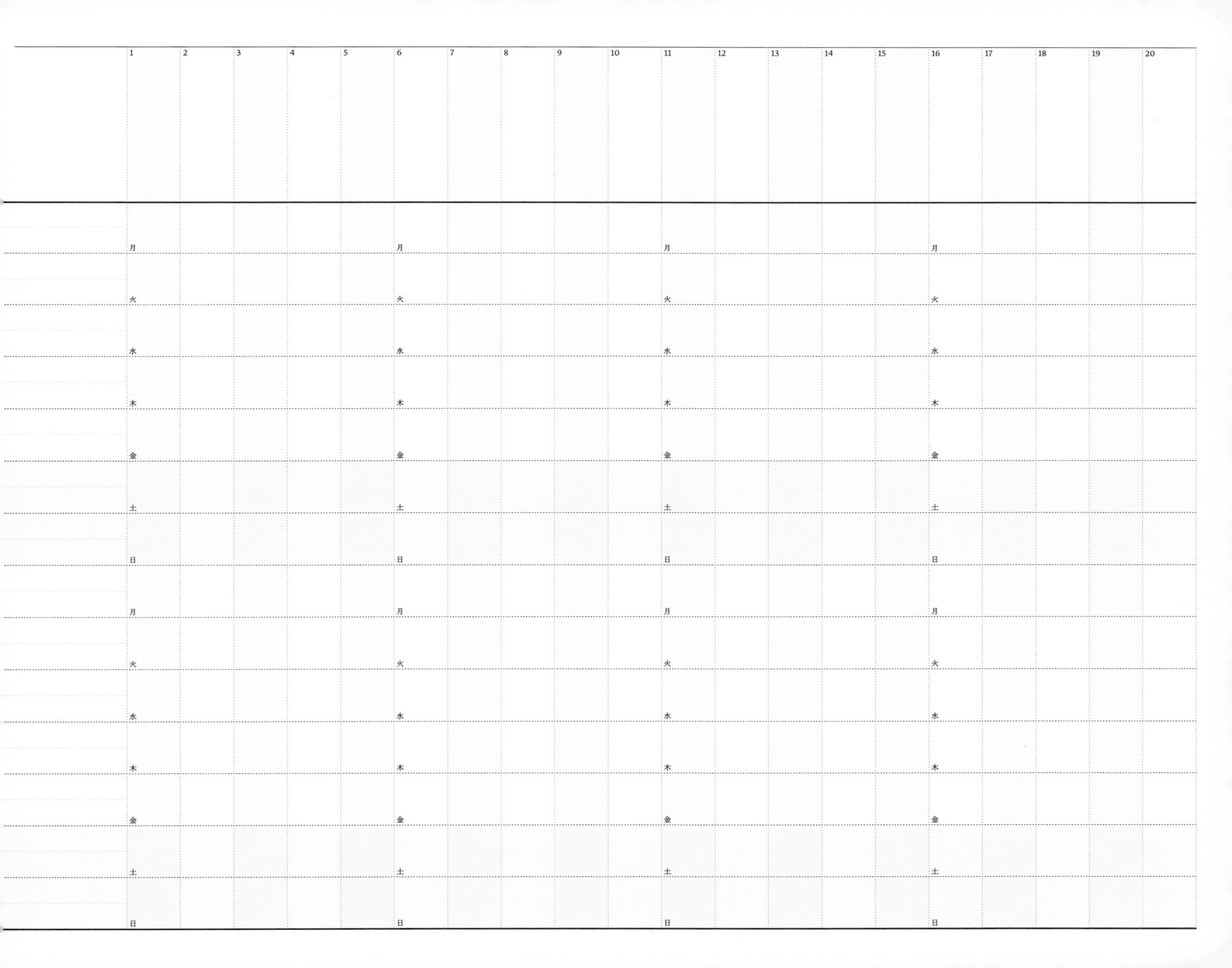
1 2 3 4 5 6 7 8 9 10 11 12 13 14 15 16 17 18 19 20
月
火
水
木
金
土
日
月
火
水
木
金
土
日

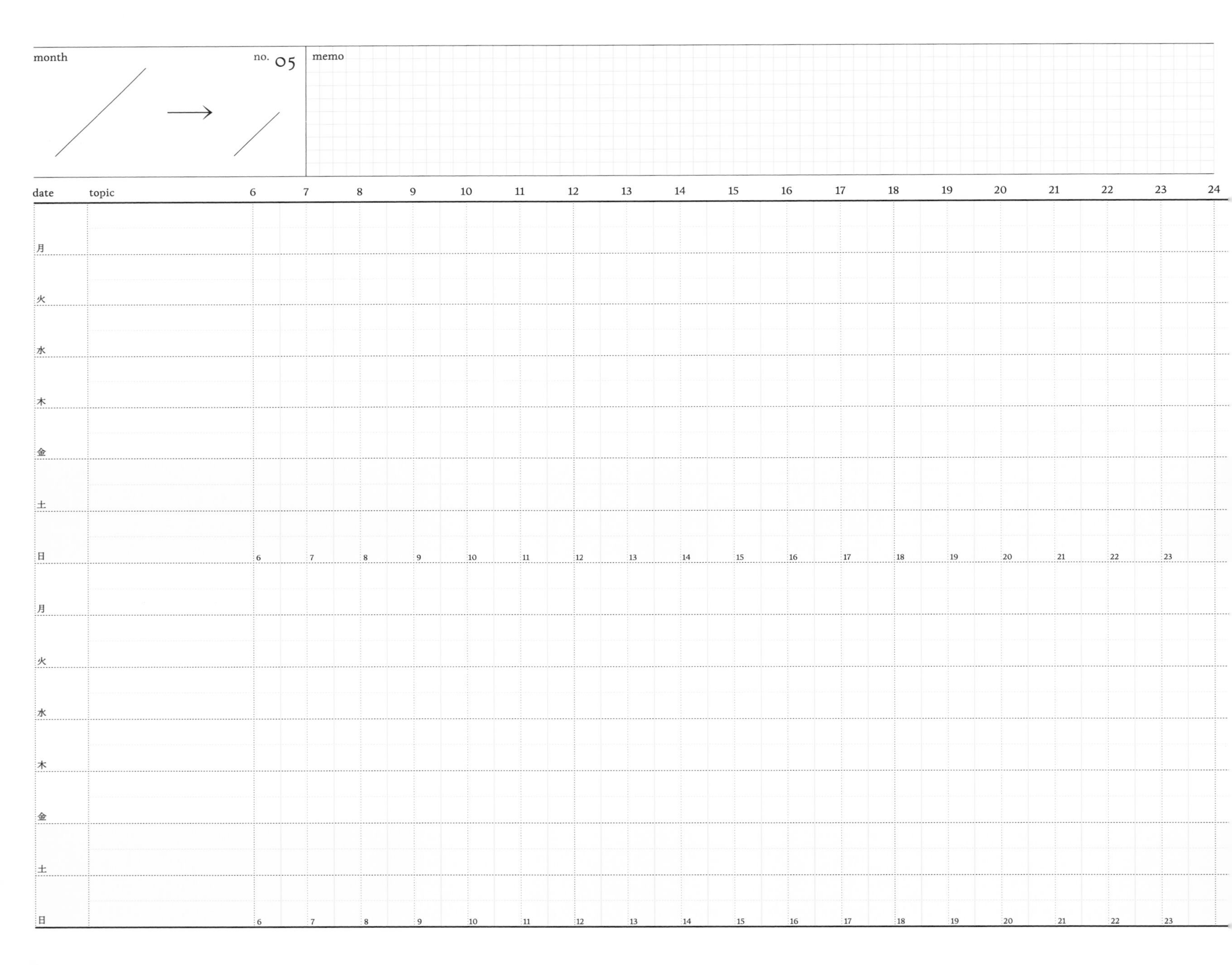
month
no. 05
memo
date
topic
6 7 8 9 10 11 12 13 14 15 16 17 18 19 20 21 22 23 24
月
火
水
木
金
土
日
6 7 8 9 10 11 12 13 14 15 16 17 18 19 20 21 22 23
月
火
水
木
金
土
日
6 7 8 9 10 11 12 13 14 15 16 17 18 19 20 21 22 23

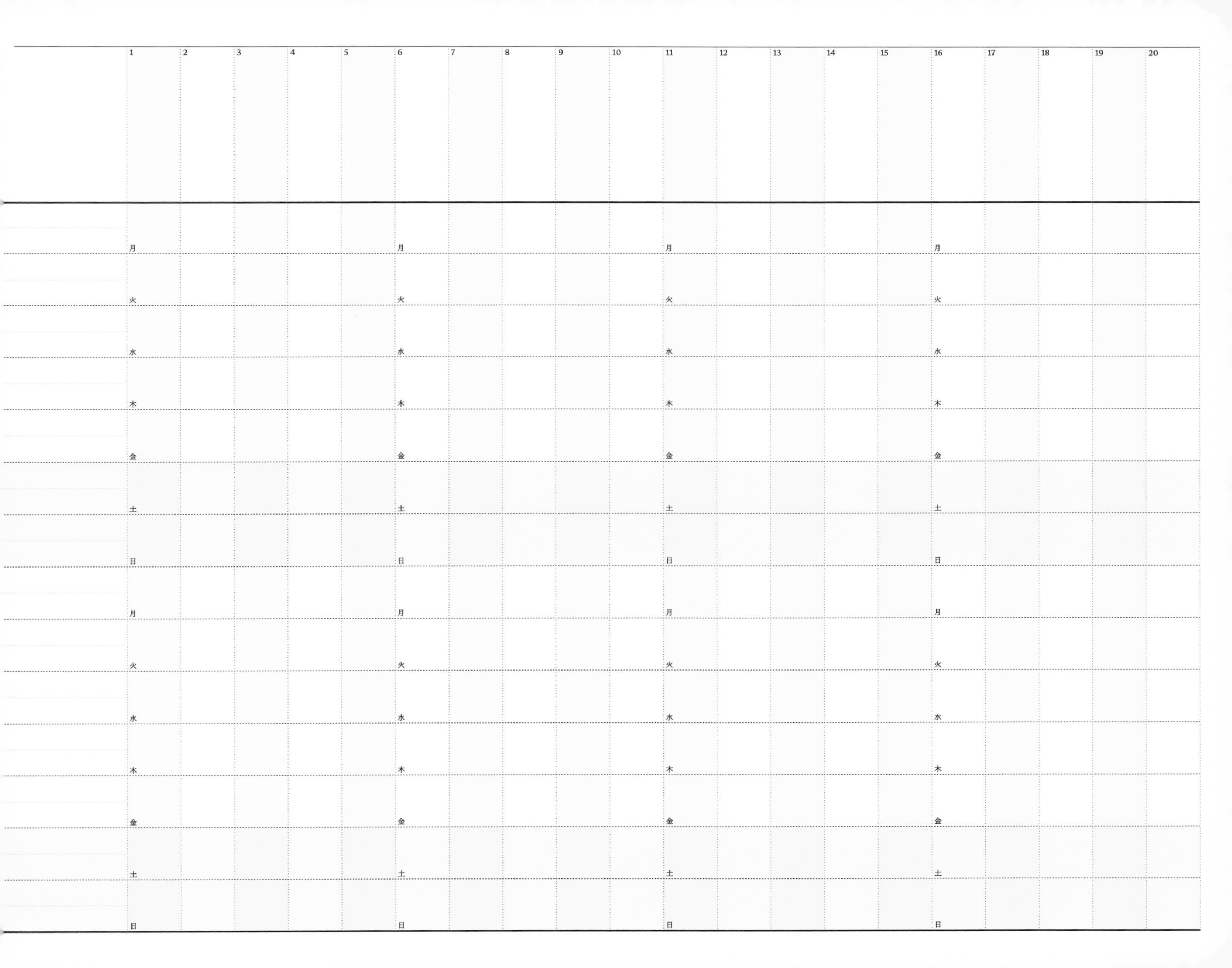
1 2 3 4 5 6 7 8 9 10 11 12 13 14 15 16 17 18 19 20
月 火 水 木 金 土 日
月 火 水 木 金 土 日

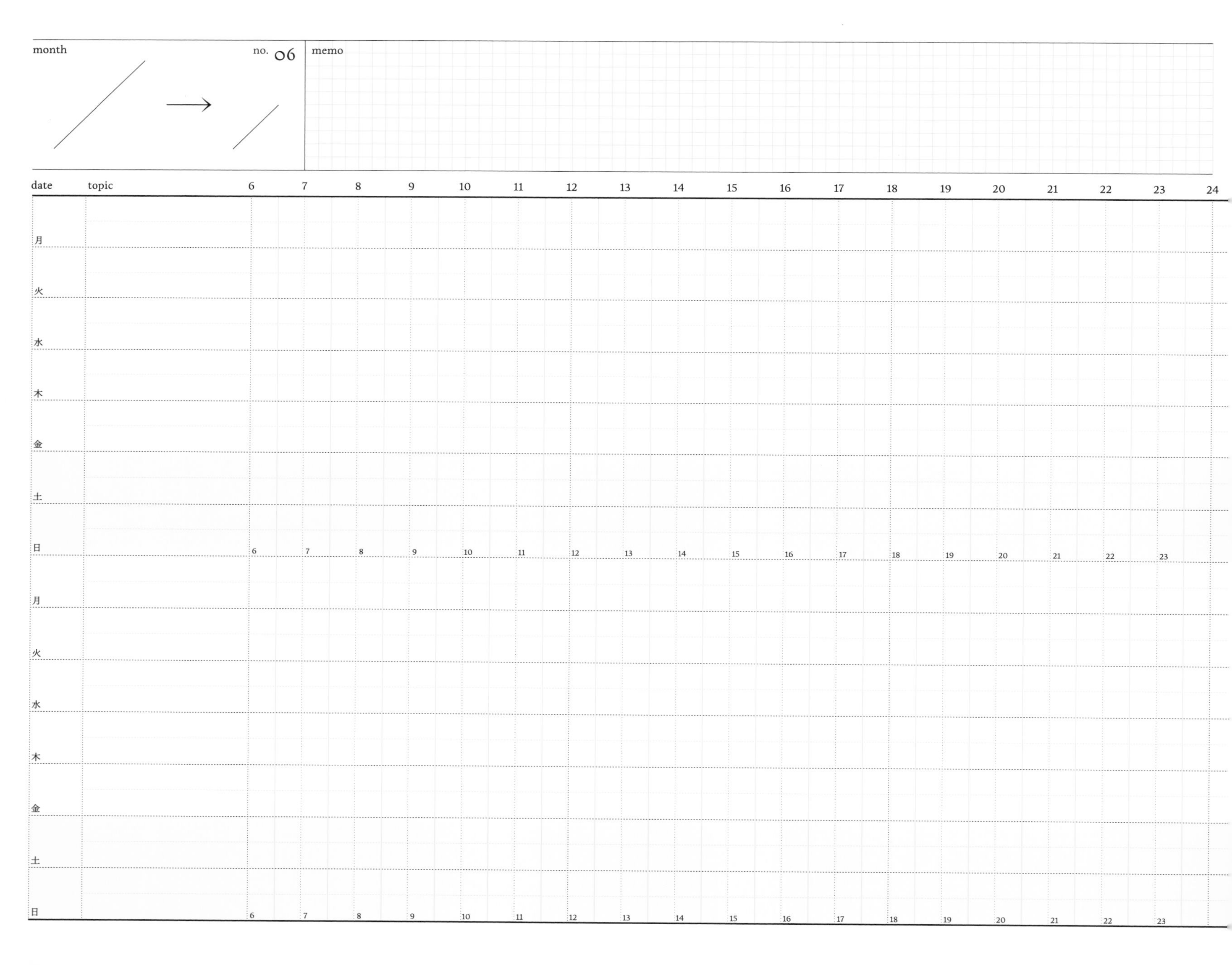
month →

no. 06

memo

date	topic	6	7	8	9	10	11	12	13	14	15	16	17	18	19	20	21	22	23	24
月																				
火																				
水																				
木																				
金																				
土																				
日		6	7	8	9	10	11	12	13	14	15	16	17	18	19	20	21	22	23	
月																				
火																				
水																				
木																				
金																				
土																				
日		6	7	8	9	10	11	12	13	14	15	16	17	18	19	20	21	22	23	

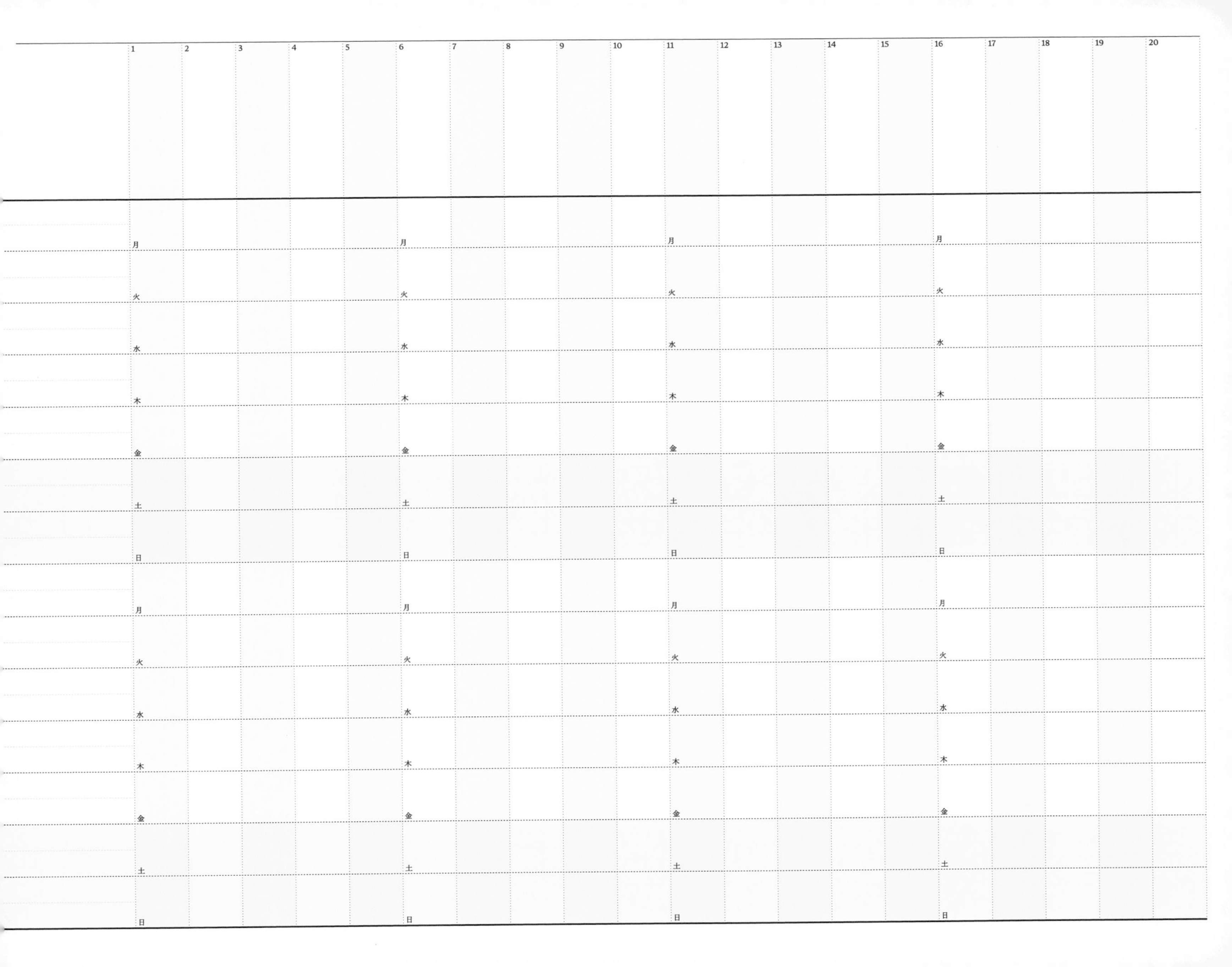
1 2 3 4 5 6 7 8 9 10 11 12 13 14 15 16 17 18 19 20
月
火
水
木
金
土
日
月
火
水
木
金
土
日

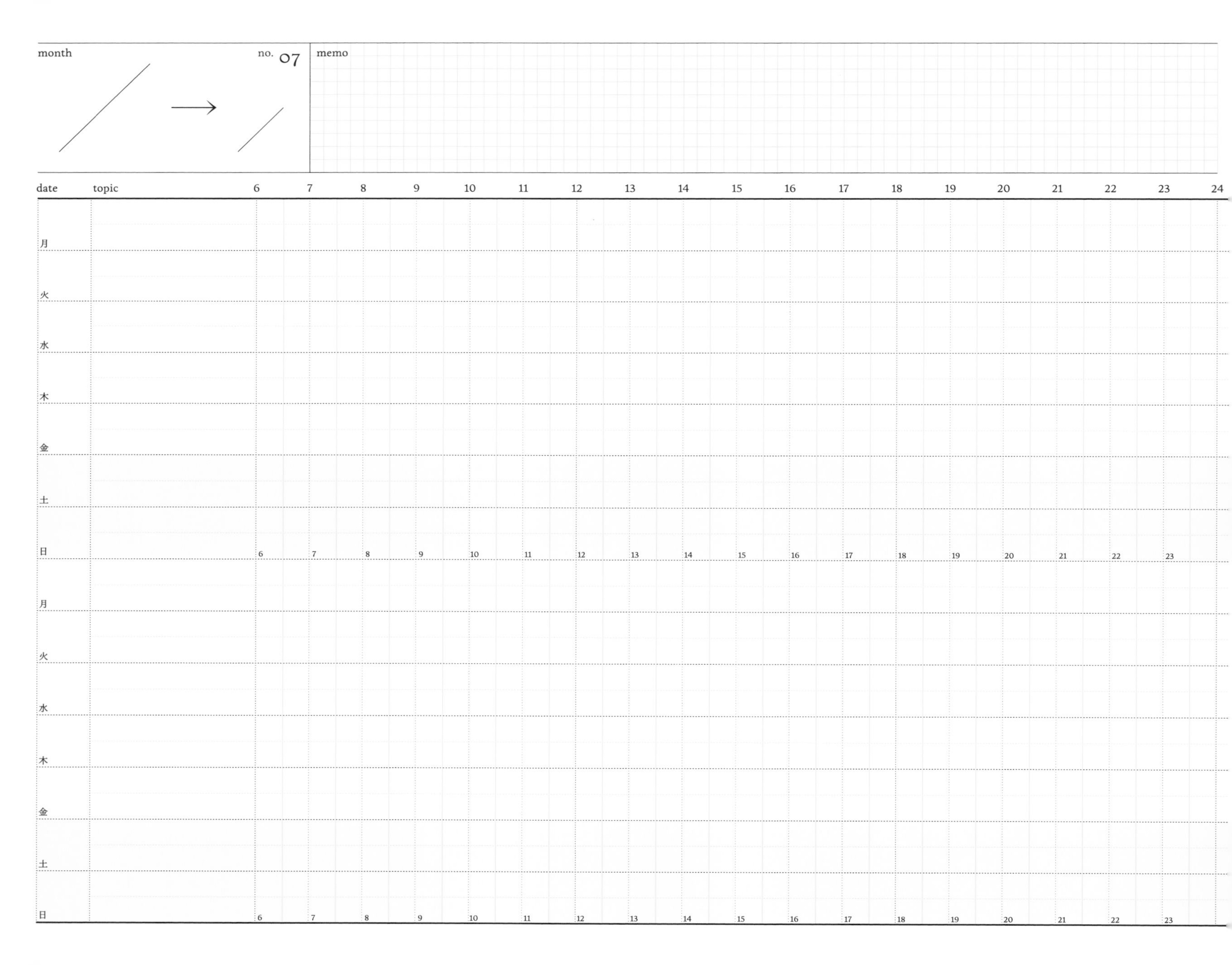
month
no. 07
memo
date
topic
6 7 8 9 10 11 12 13 14 15 16 17 18 19 20 21 22 23 24
月
火
水
木
金
土
日
6 7 8 9 10 11 12 13 14 15 16 17 18 19 20 21 22 23
月
火
水
木
金
土
日
6 7 8 9 10 11 12 13 14 15 16 17 18 19 20 21 22 23

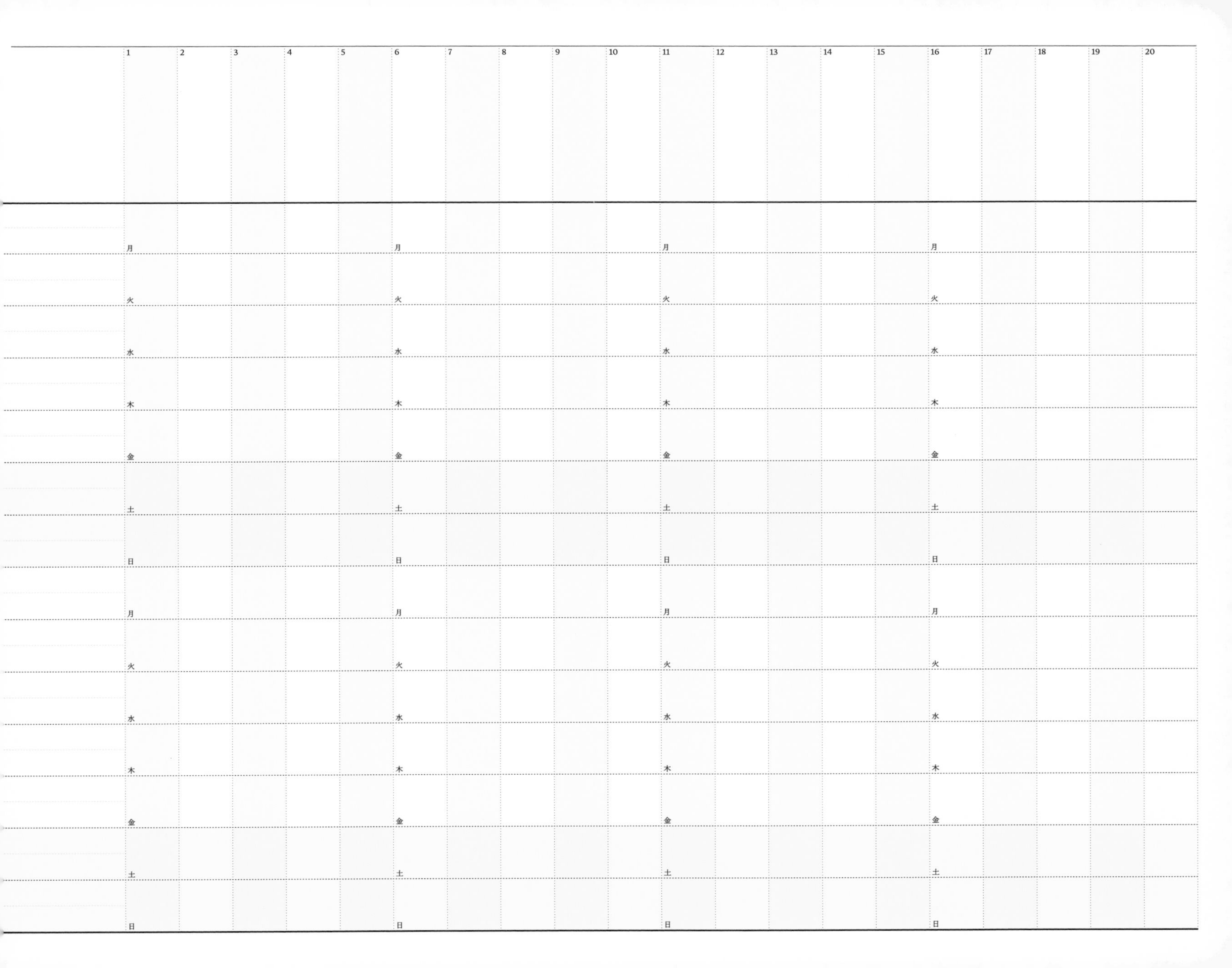
1 2 3 4 5 6 7 8 9 10 11 12 13 14 15 16 17 18 19 20
月 月 月 月
火 火 火 火
水 水 水 水
木 木 木 木
金 金 金 金
土 土 土 土
日 日 日 日
月 月 月 月
火 火 火 火
水 水 水 水
木 木 木 木
金 金 金 金
土 土 土 土
日 日 日 日

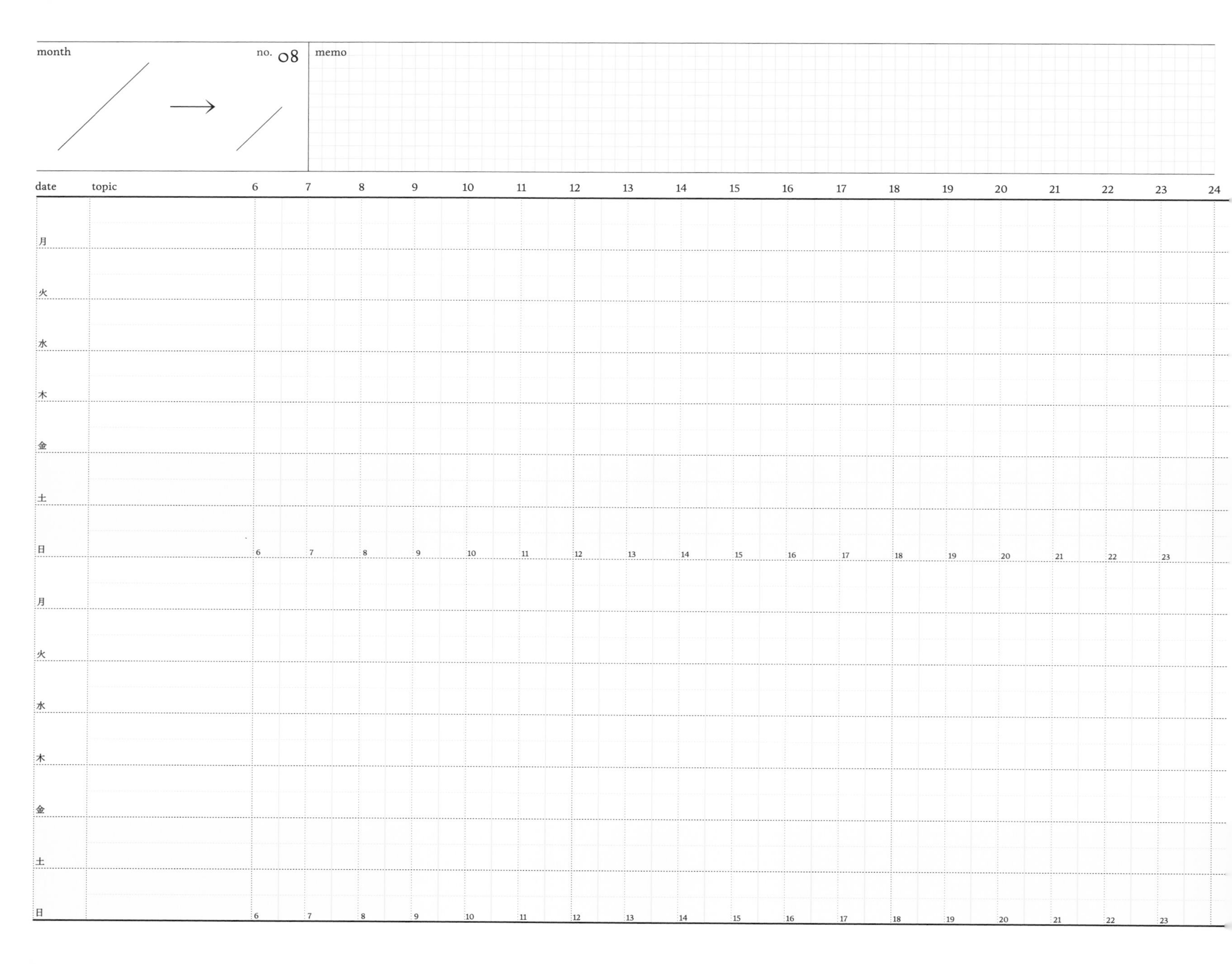

month →

no. 08

memo

date	topic	6	7	8	9	10	11	12	13	14	15	16	17	18	19	20	21	22	23	24
月																				
火																				
水																				
木																				
金																				
土																				
日		6	7	8	9	10	11	12	13	14	15	16	17	18	19	20	21	22	23	
月																				
火																				
水																				
木																				
金																				
土																				
日		6	7	8	9	10	11	12	13	14	15	16	17	18	19	20	21	22	23	

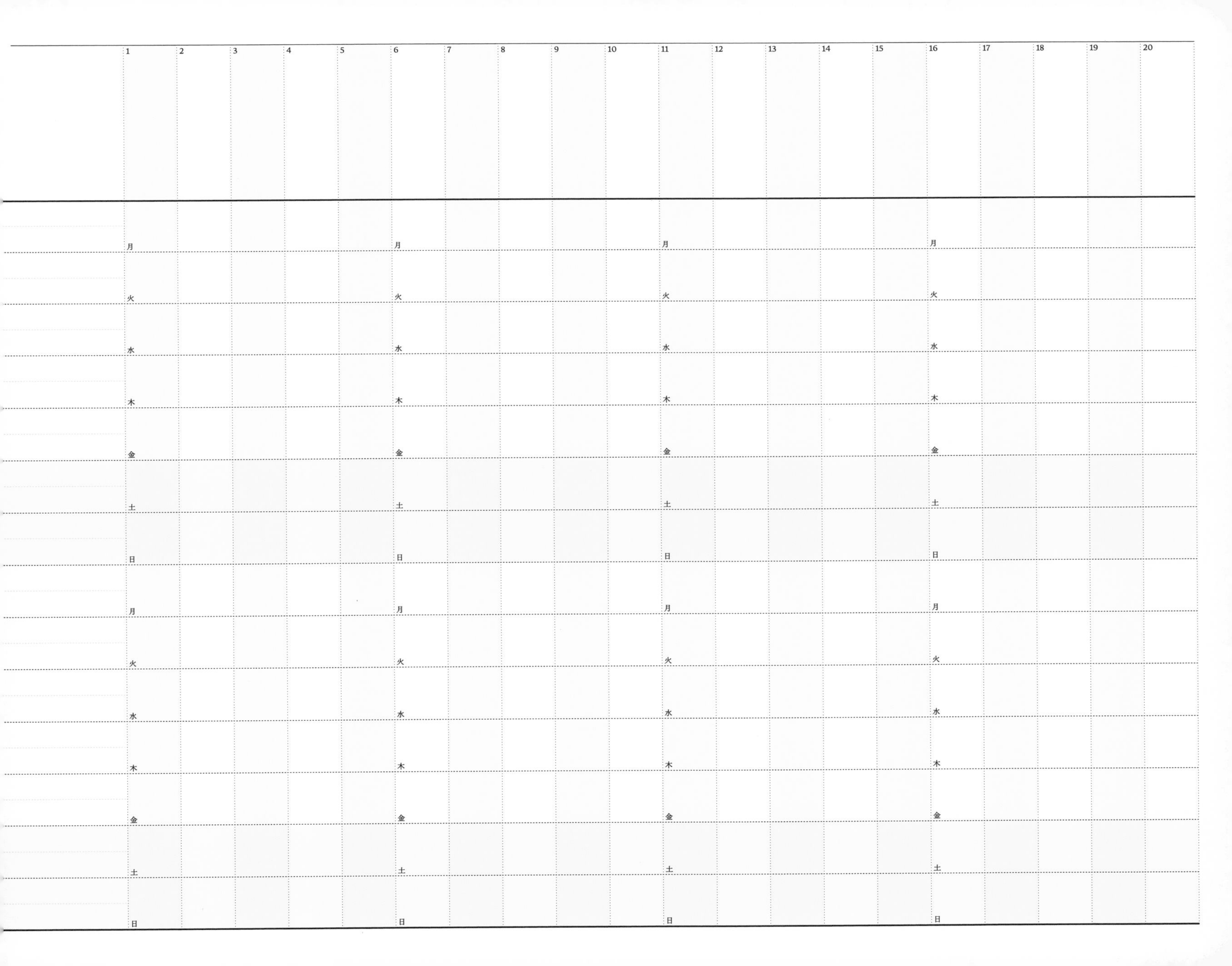

	1	2	3	4	5	6	7	8	9	10	11	12	13	14	15	16	17	18	19	20
	月					月					月					月				
	火					火					火					火				
	水					水					水					水				
	木					木					木					木				
	金					金					金					金				
	土					土					土					土				
	日					日					日					日				
	月					月					月					月				
	火					火					火					火				
	水					水					水					水				
	木					木					木					木				
	金					金					金					金				
	土					土					土					土				
	日					日					日					日				

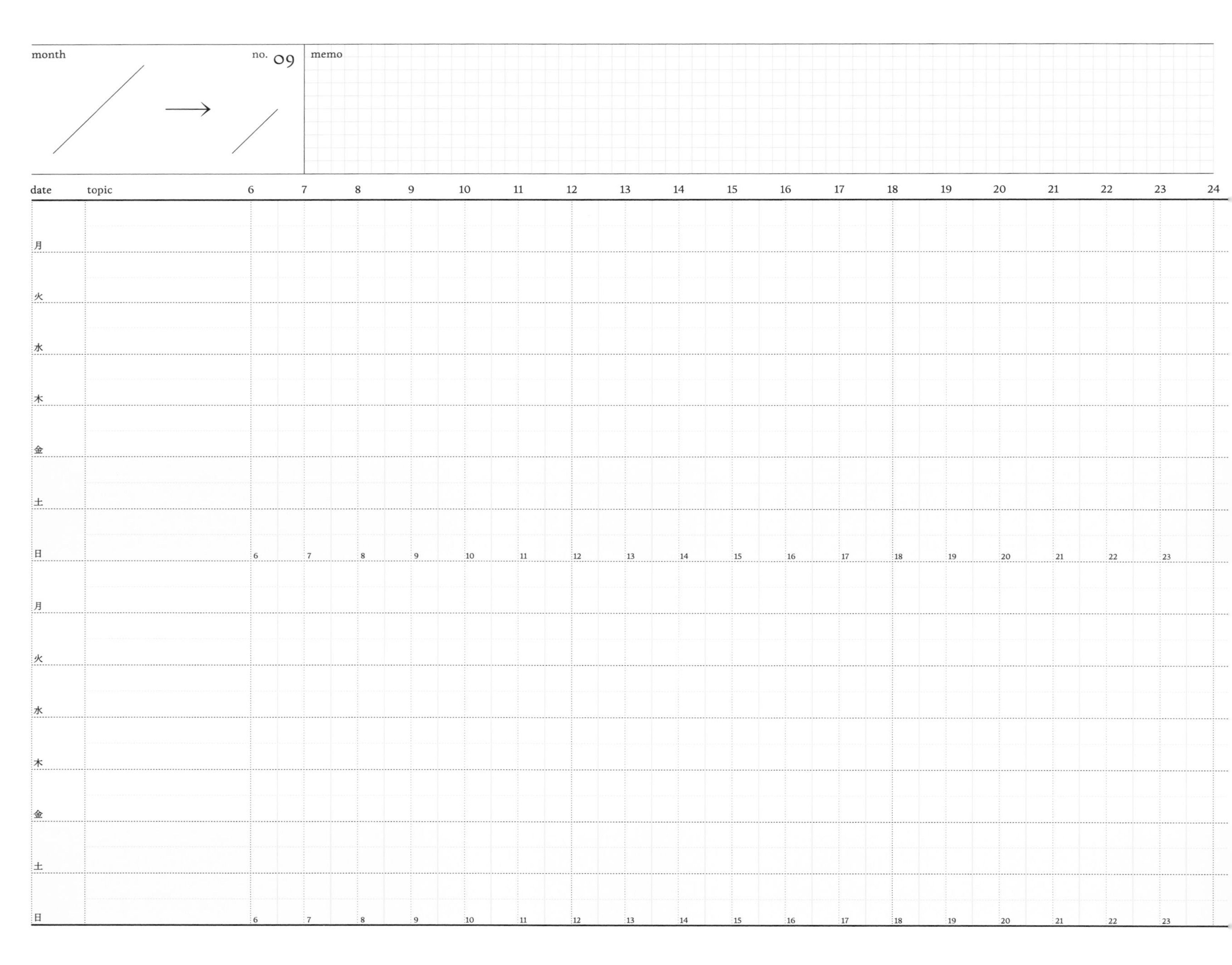

month no. 09 memo

date topic 6 7 8 9 10 11 12 13 14 15 16 17 18 19 20 21 22 23 24

月
火
水
木
金
土
日 6 7 8 9 10 11 12 13 14 15 16 17 18 19 20 21 22 23
月
火
水
木
金
土
日 6 7 8 9 10 11 12 13 14 15 16 17 18 19 20 21 22 23

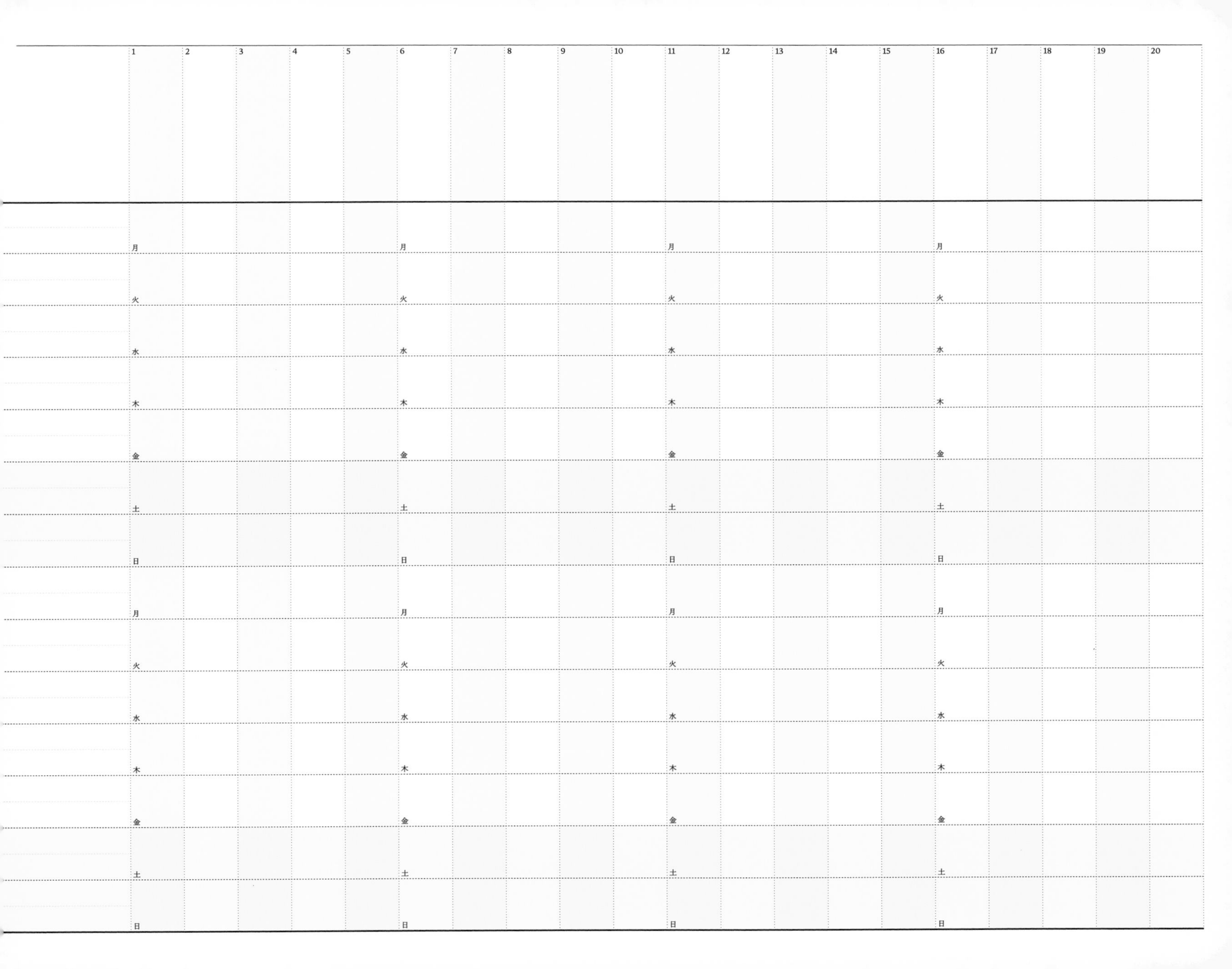
1 2 3 4 5 6 7 8 9 10 11 12 13 14 15 16 17 18 19 20
月
火
水
木
金
土
日
月
火
水
木
金
土
日

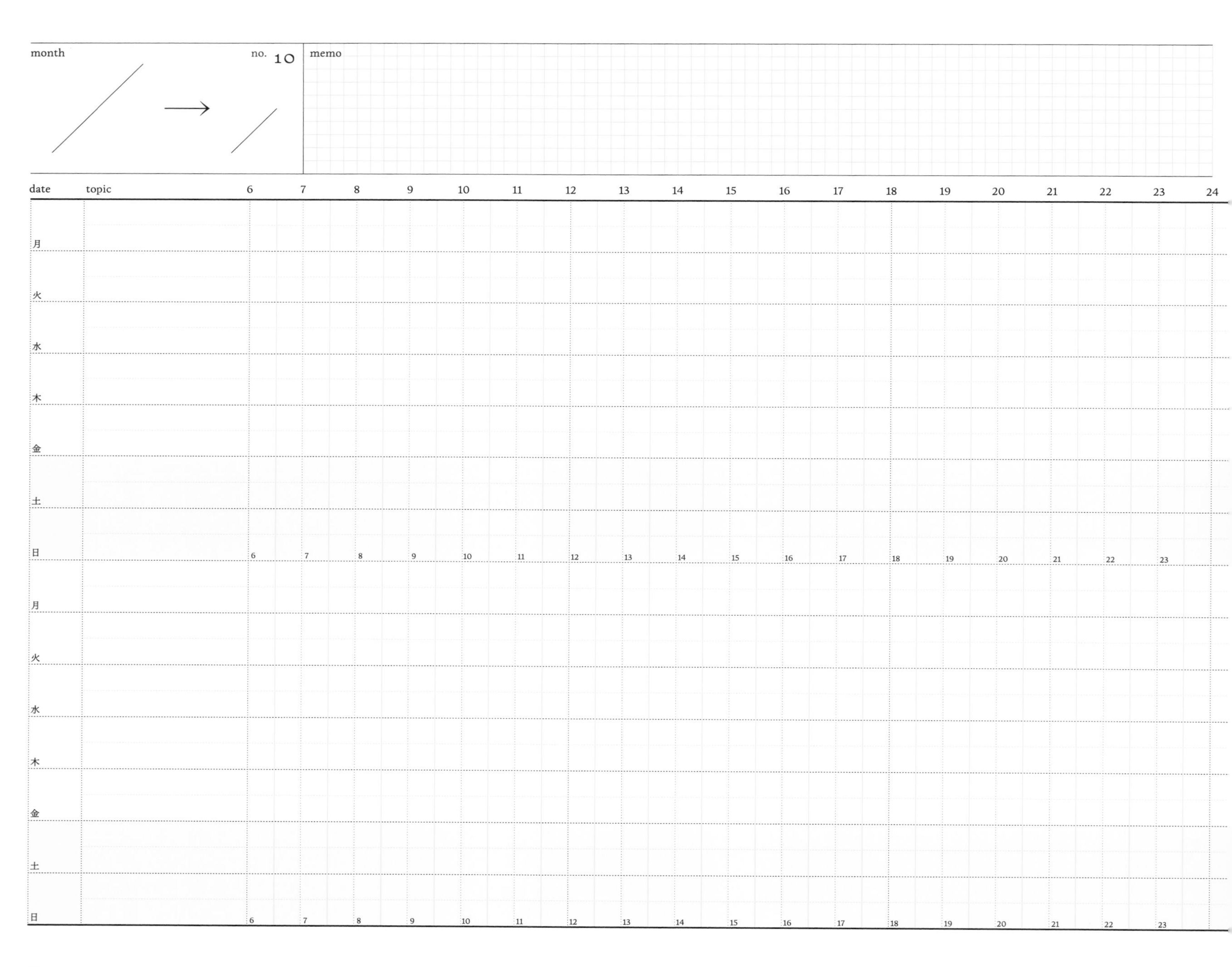

month →　no. 10　memo

date	topic	6	7	8	9	10	11	12	13	14	15	16	17	18	19	20	21	22	23	24
月																				
火																				
水																				
木																				
金																				
土																				
日		6	7	8	9	10	11	12	13	14	15	16	17	18	19	20	21	22	23	
月																				
火																				
水																				
木																				
金																				
土																				
日		6	7	8	9	10	11	12	13	14	15	16	17	18	19	20	21	22	23	

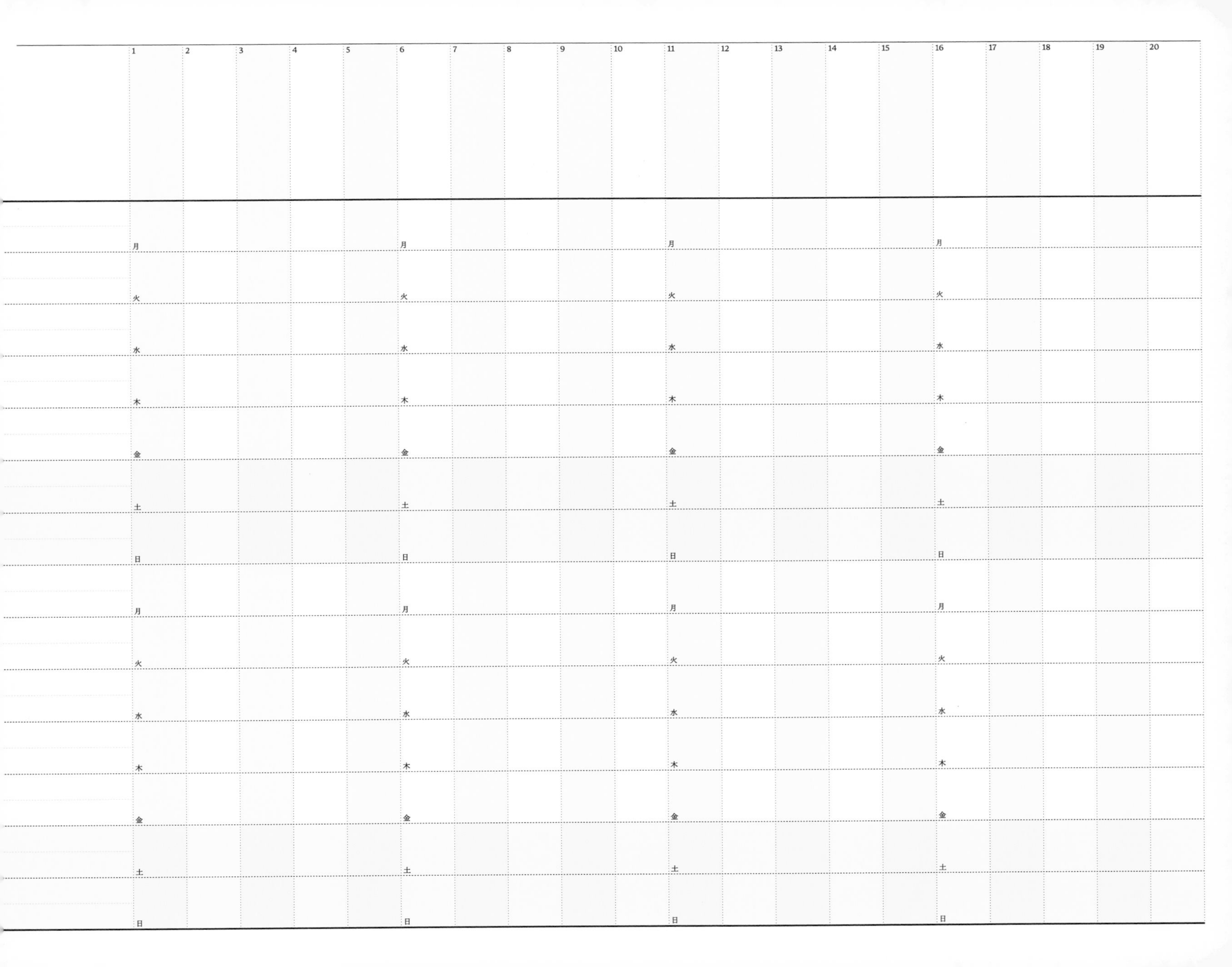
1 2 3 4 5 6 7 8 9 10 11 12 13 14 15 16 17 18 19 20
月 火 水 木 金 土 日
月 火 水 木 金 土 日

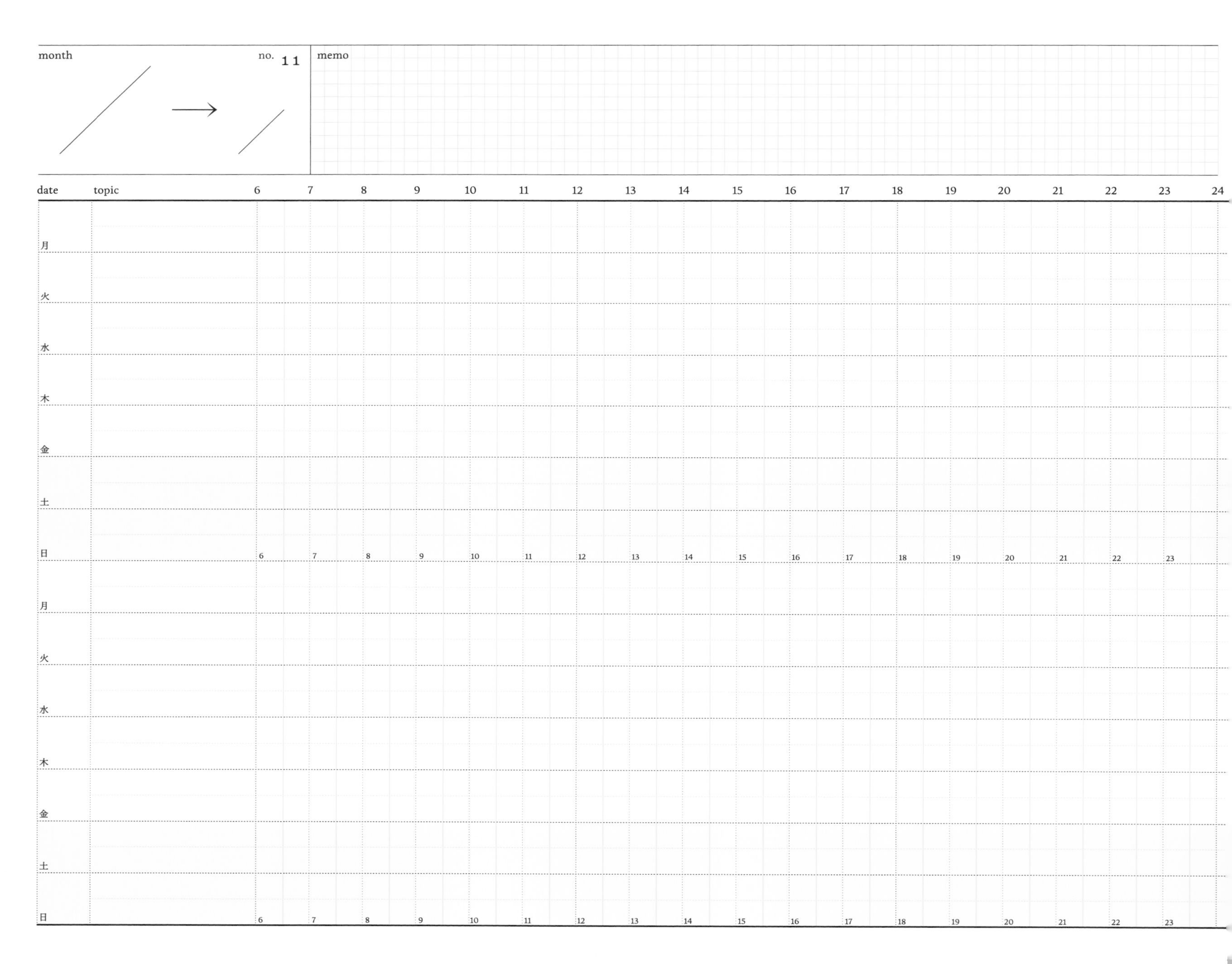

month　no. 11　memo

date	topic	6	7	8	9	10	11	12	13	14	15	16	17	18	19	20	21	22	23	24
月																				
火																				
水																				
木																				
金																				
土																				
日		6	7	8	9	10	11	12	13	14	15	16	17	18	19	20	21	22	23	
月																				
火																				
水																				
木																				
金																				
土																				
日		6	7	8	9	10	11	12	13	14	15	16	17	18	19	20	21	22	23	

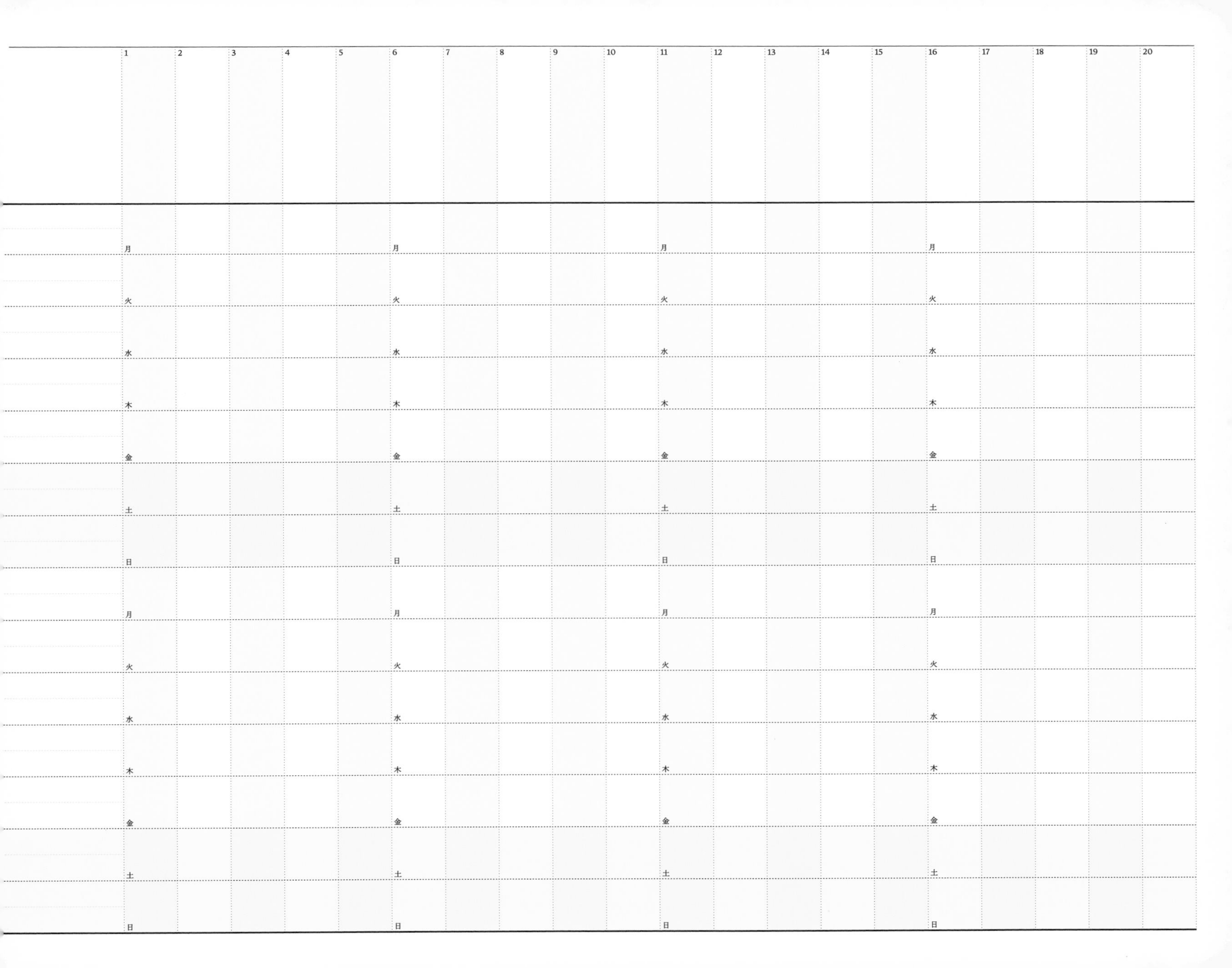
1 2 3 4 5 6 7 8 9 10 11 12 13 14 15 16 17 18 19 20
月
火
水
木
金
土
日
月
火
水
木
金
土
日

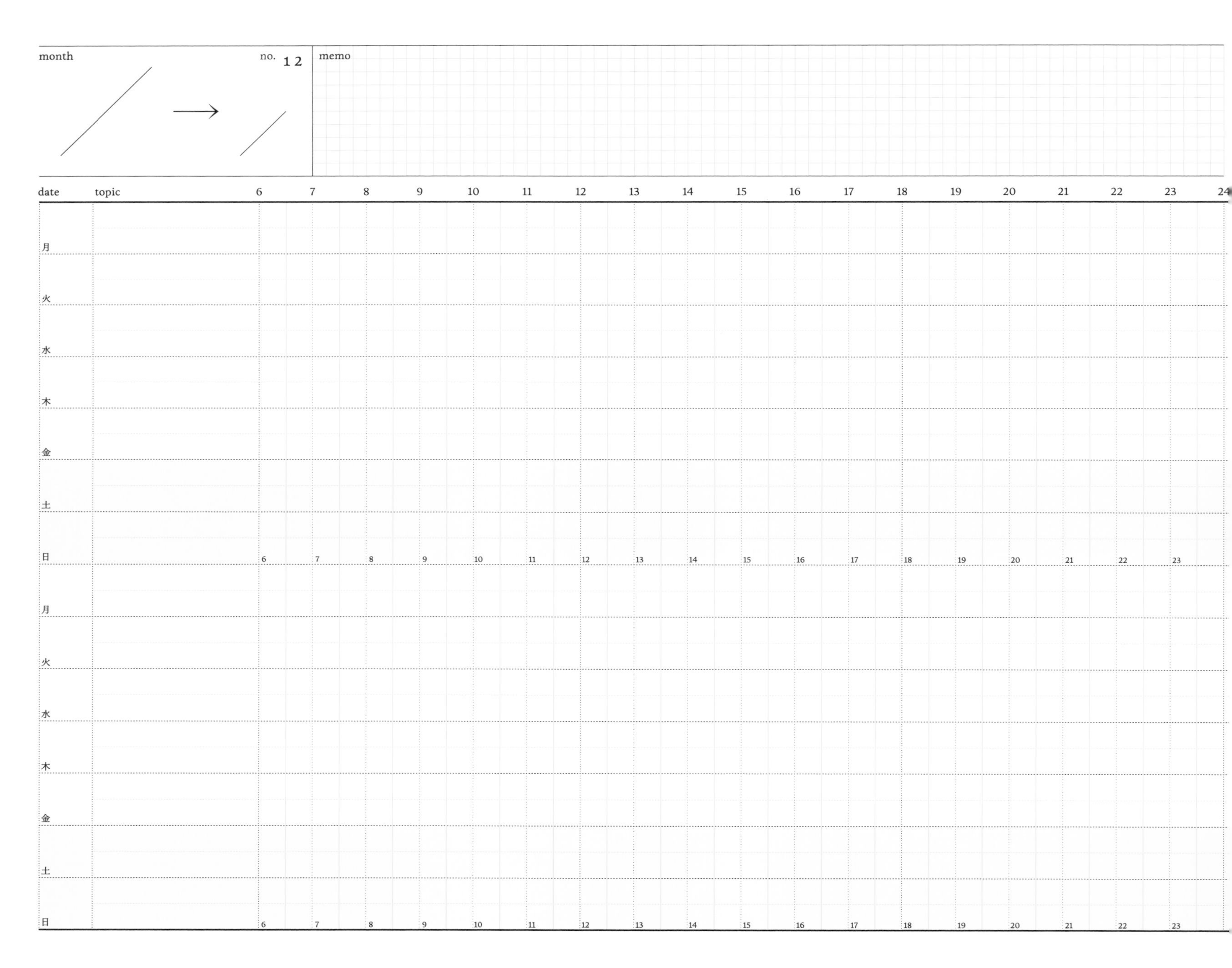
month
no. 12
memo
date
topic
6 7 8 9 10 11 12 13 14 15 16 17 18 19 20 21 22 23 24
月
火
水
木
金
土
日
6 7 8 9 10 11 12 13 14 15 16 17 18 19 20 21 22 23
月
火
水
木
金
土
日
6 7 8 9 10 11 12 13 14 15 16 17 18 19 20 21 22 23

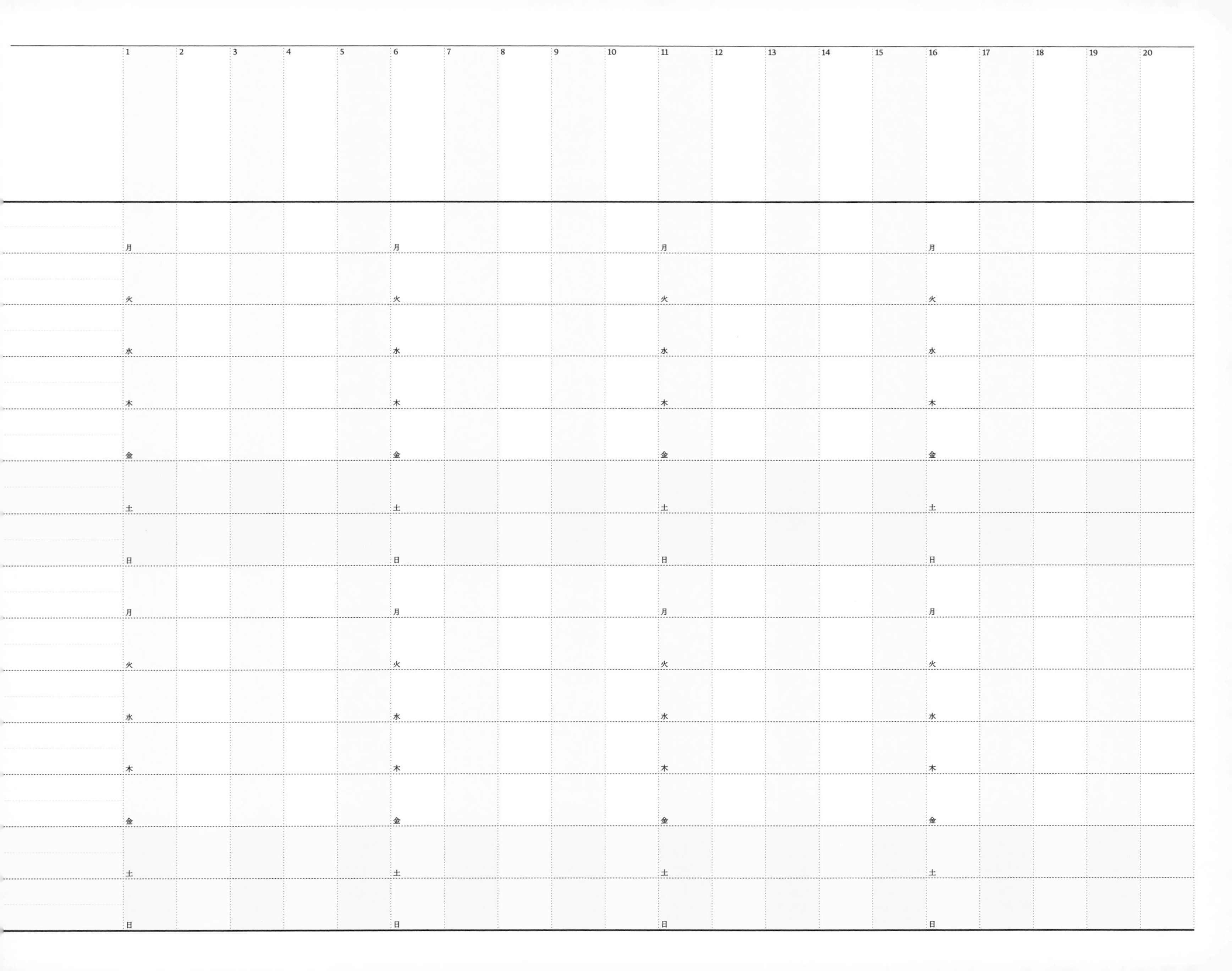

1 2 3 4 5 6 7 8 9 10 11 12 13 14 15 16 17 18 19 20
月
火
水
木
金
土
日
月
火
水
木
金
土
日

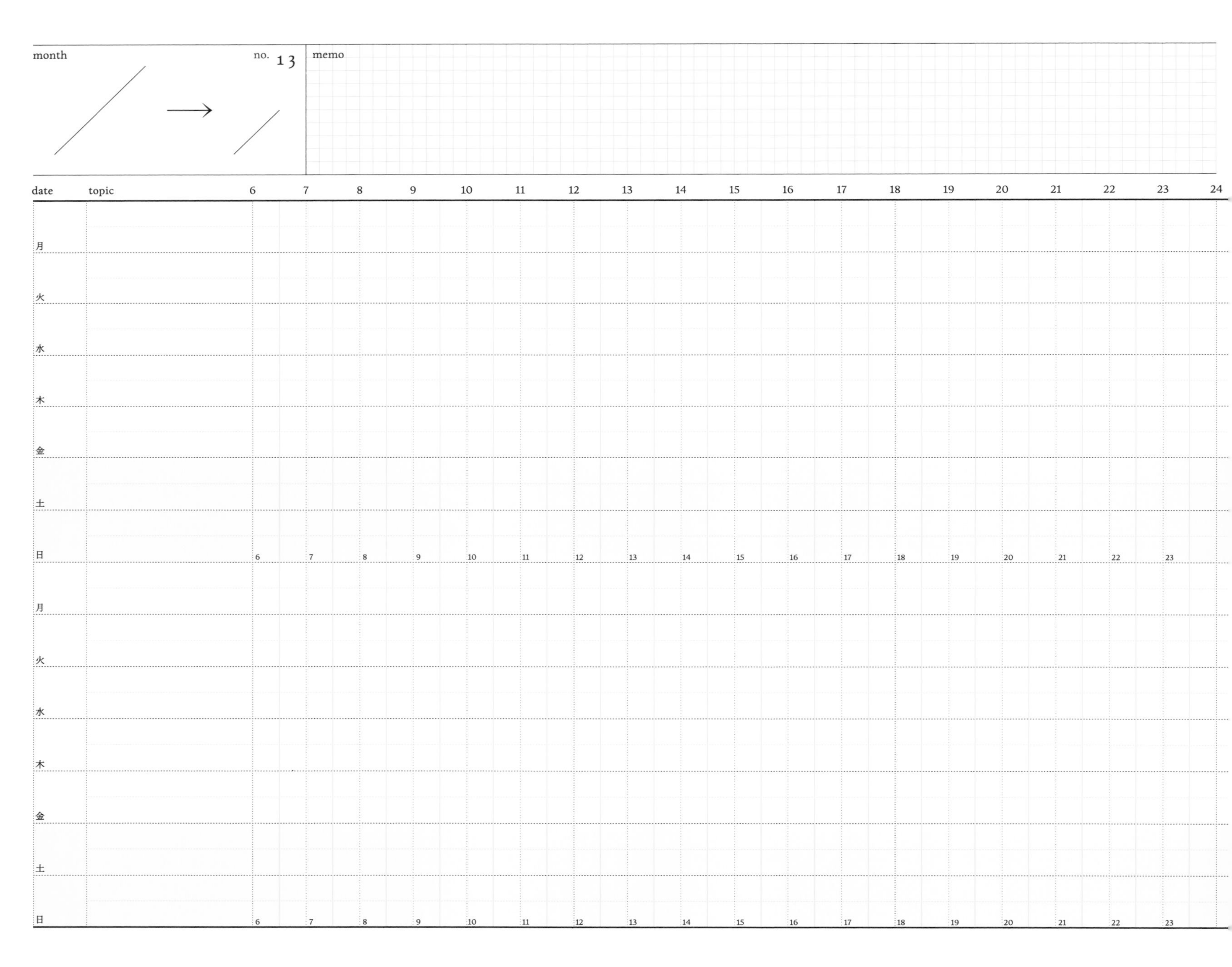
month
no. 13
memo
date
topic
6 7 8 9 10 11 12 13 14 15 16 17 18 19 20 21 22 23 24
月
火
水
木
金
土
日
月
火
水
木
金
土
日

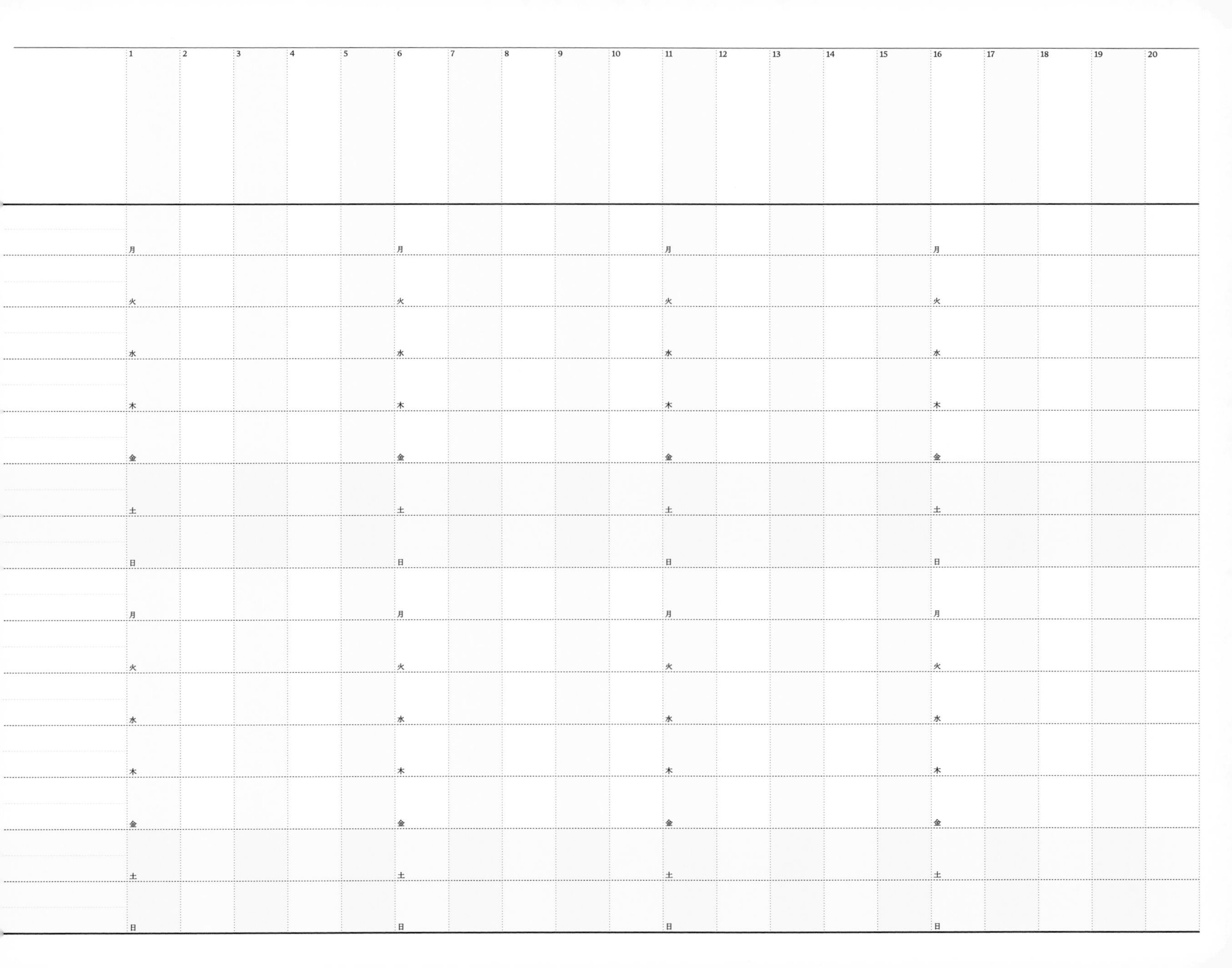
1
2
3
4
5
6
7
8
9
10
11
12
13
14
15
16
17
18
19
20
月
火
水
木
金
土
日
月
火
水
木
金
土
日

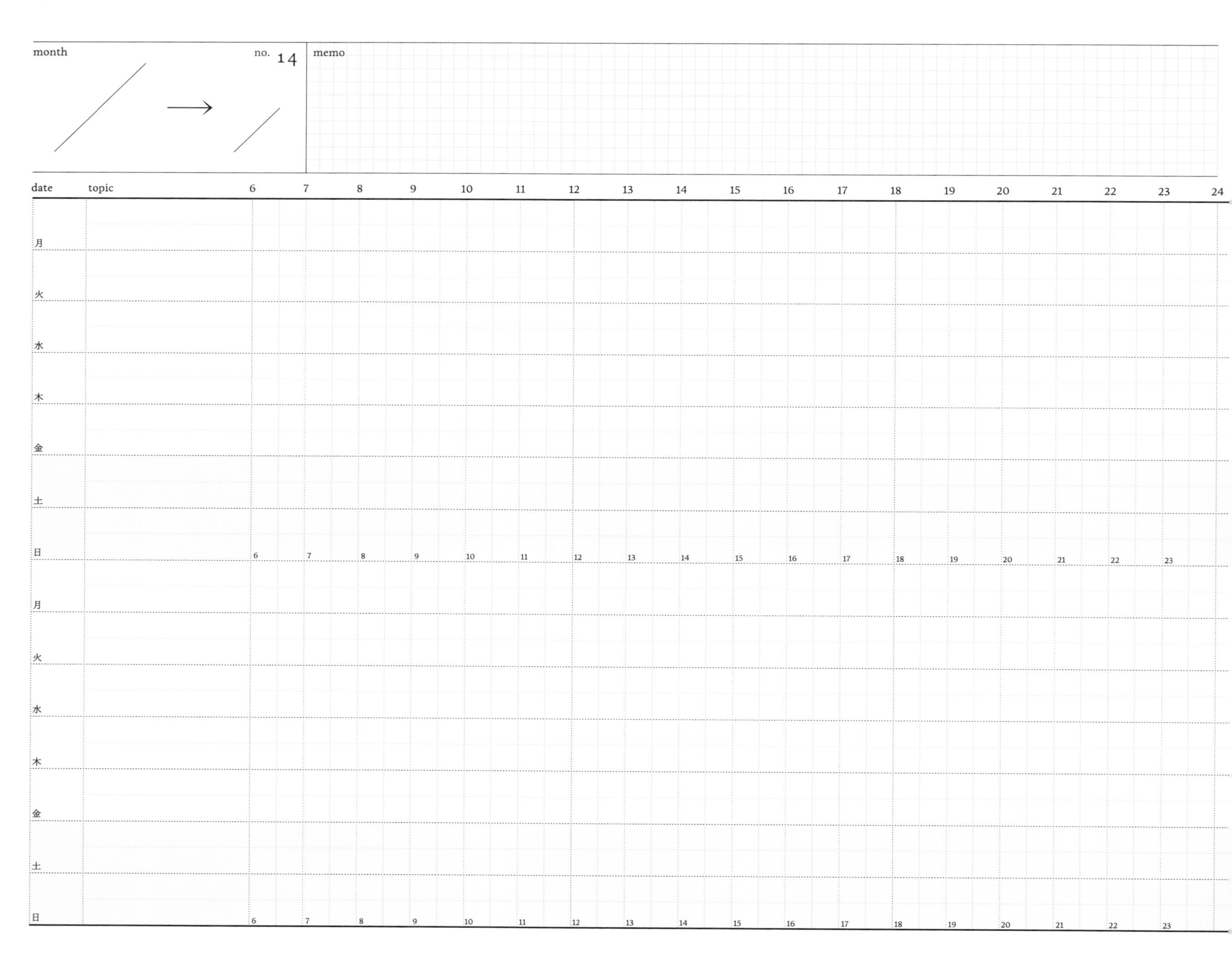

month / → / no. 14

memo

date	topic	6	7	8	9	10	11	12	13	14	15	16	17	18	19	20	21	22	23	24
月																				
火																				
水																				
木																				
金																				
土																				
日		6	7	8	9	10	11	12	13	14	15	16	17	18	19	20	21	22	23	
月																				
火																				
水																				
木																				
金																				
土																				
日		6	7	8	9	10	11	12	13	14	15	16	17	18	19	20	21	22	23	

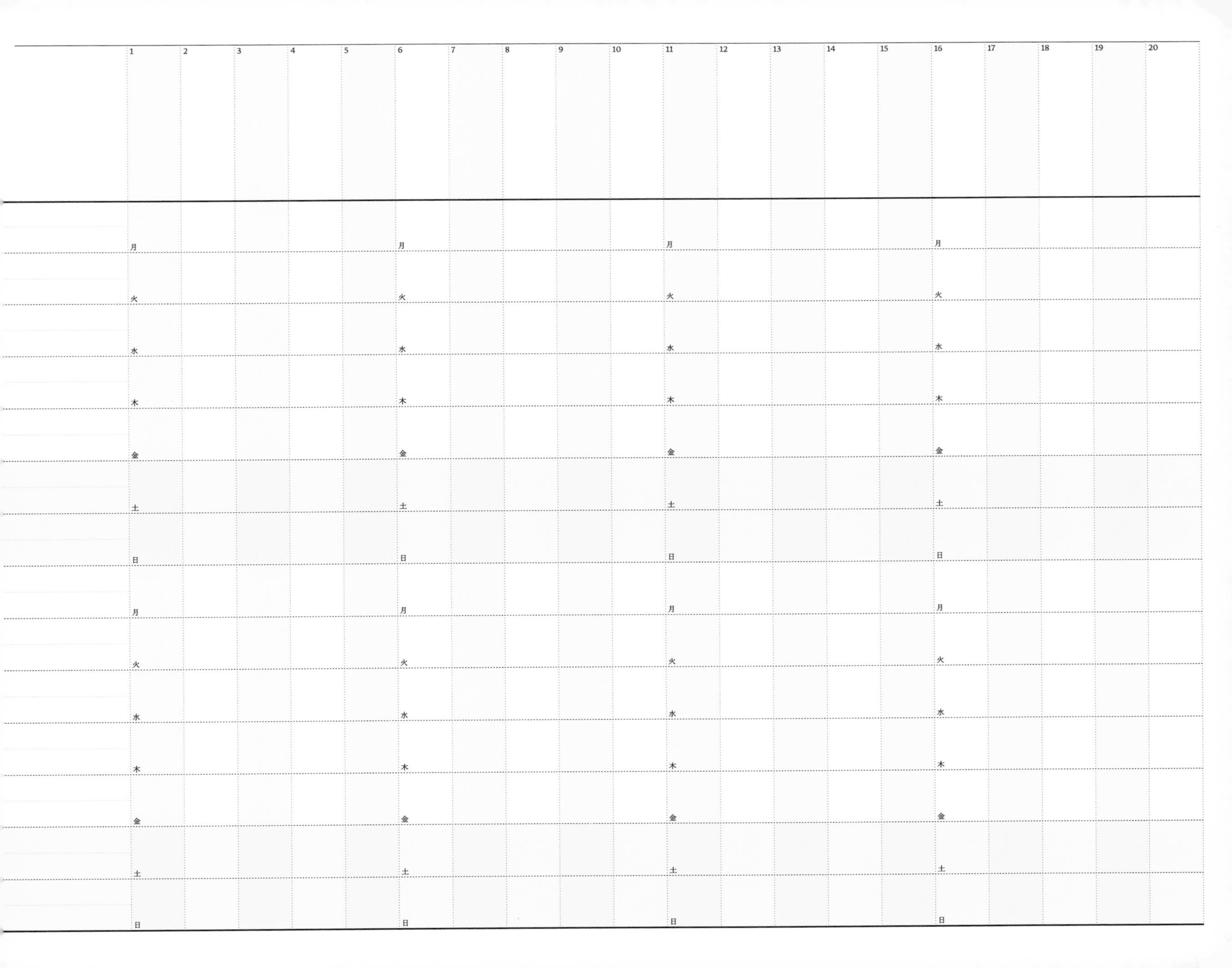
1 2 3 4 5 6 7 8 9 10 11 12 13 14 15 16 17 18 19 20
月
火
水
木
金
土
日
月
火
水
木
金
土
日

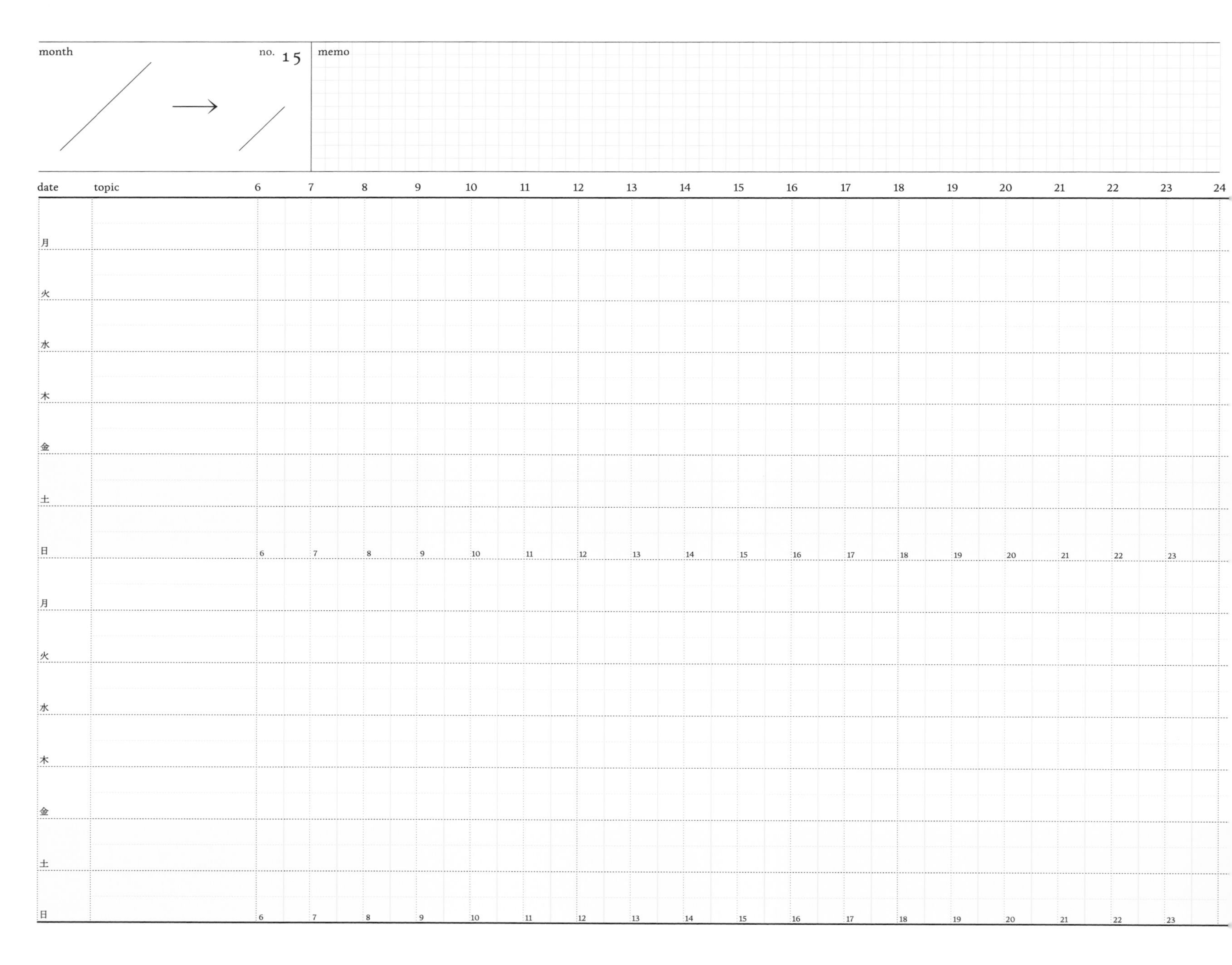

month → no. 15

memo

date	topic	6	7	8	9	10	11	12	13	14	15	16	17	18	19	20	21	22	23	24
月																				
火																				
水																				
木																				
金																				
土																				
日		6	7	8	9	10	11	12	13	14	15	16	17	18	19	20	21	22	23	
月																				
火																				
水																				
木																				
金																				
土																				
日		6	7	8	9	10	11	12	13	14	15	16	17	18	19	20	21	22	23	

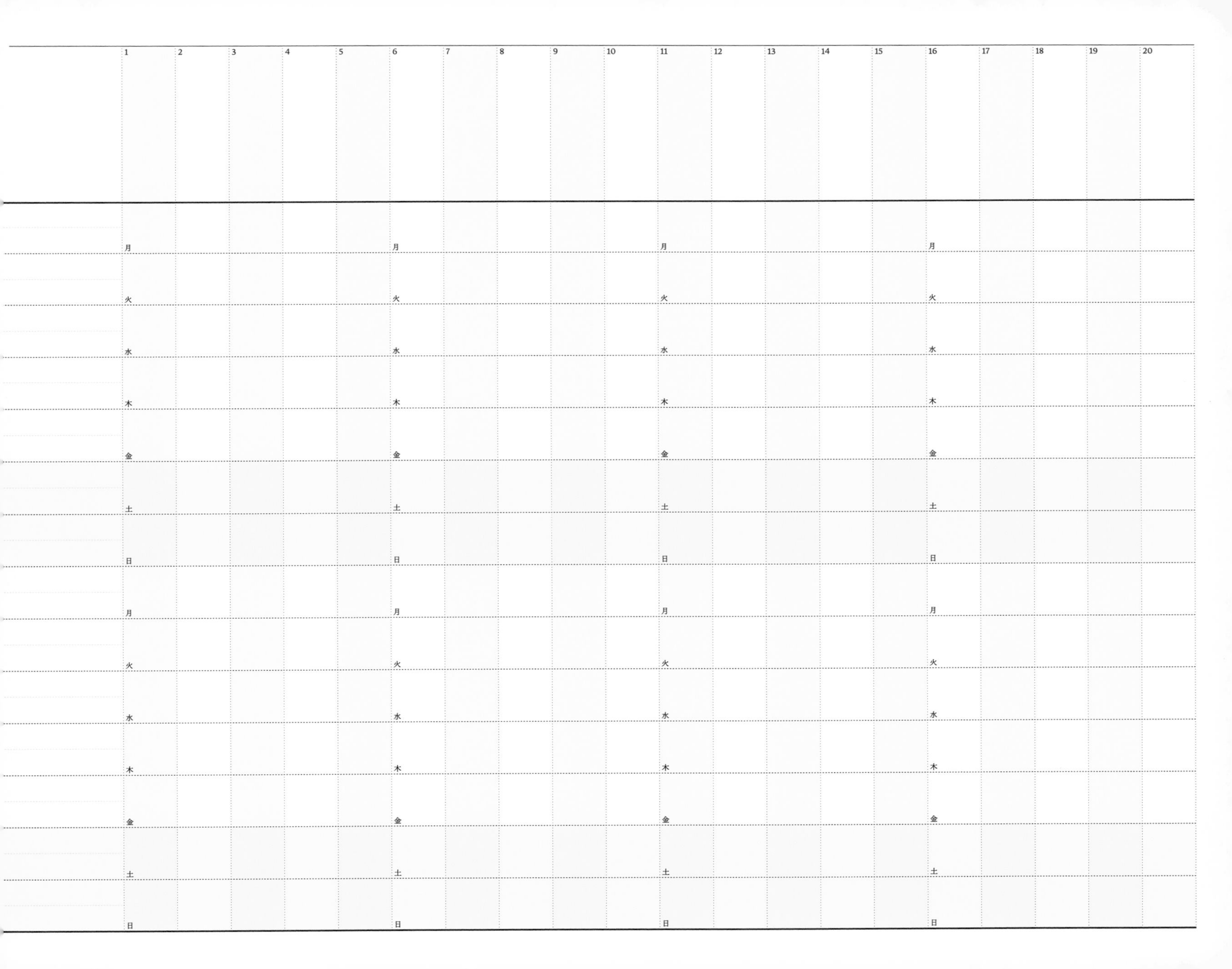
1 2 3 4 5 6 7 8 9 10 11 12 13 14 15 16 17 18 19 20
月 月 月 月
火 火 火 火
水 水 水 水
木 木 木 木
金 金 金 金
土 土 土 土
日 日 日 日
月 月 月 月
火 火 火 火
水 水 水 水
木 木 木 木
金 金 金 金
土 土 土 土
日 日 日 日

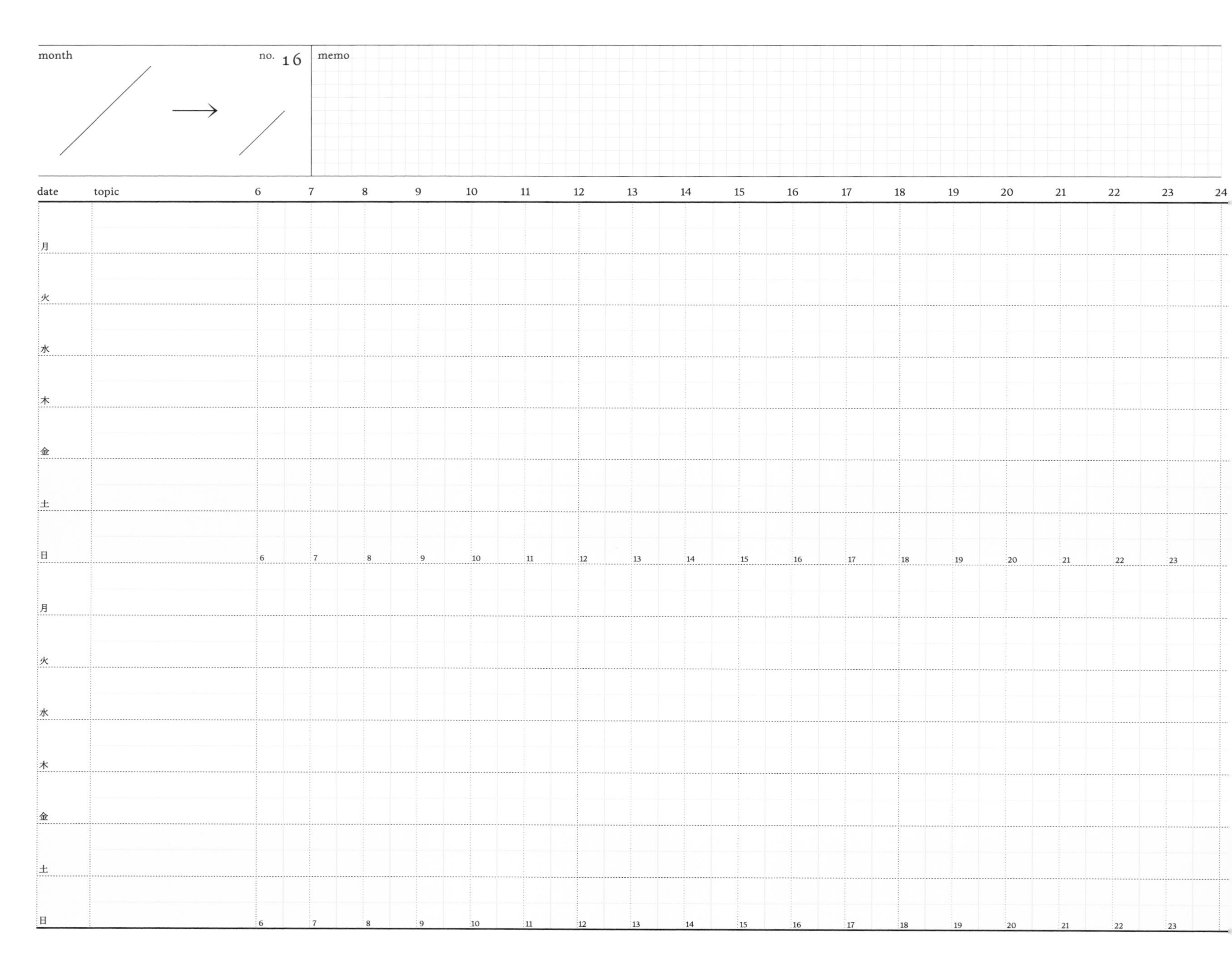
month
no. 16
memo
date
topic
6 7 8 9 10 11 12 13 14 15 16 17 18 19 20 21 22 23 24
月
火
水
木
金
土
日
6 7 8 9 10 11 12 13 14 15 16 17 18 19 20 21 22 23
月
火
水
木
金
土
日
6 7 8 9 10 11 12 13 14 15 16 17 18 19 20 21 22 23

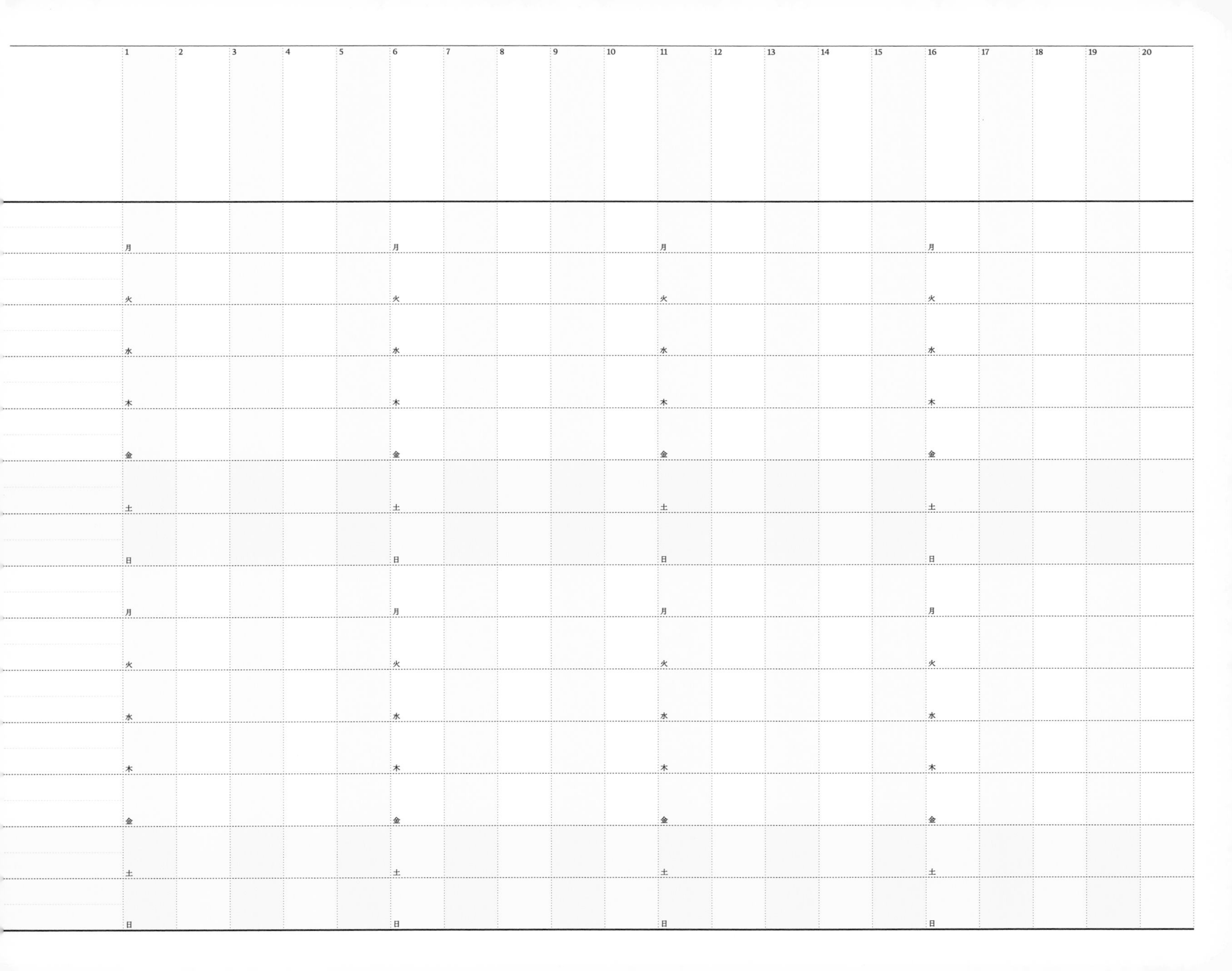
1 2 3 4 5 6 7 8 9 10 11 12 13 14 15 16 17 18 19 20
月
火
水
木
金
土
日
月
火
水
木
金
土
日

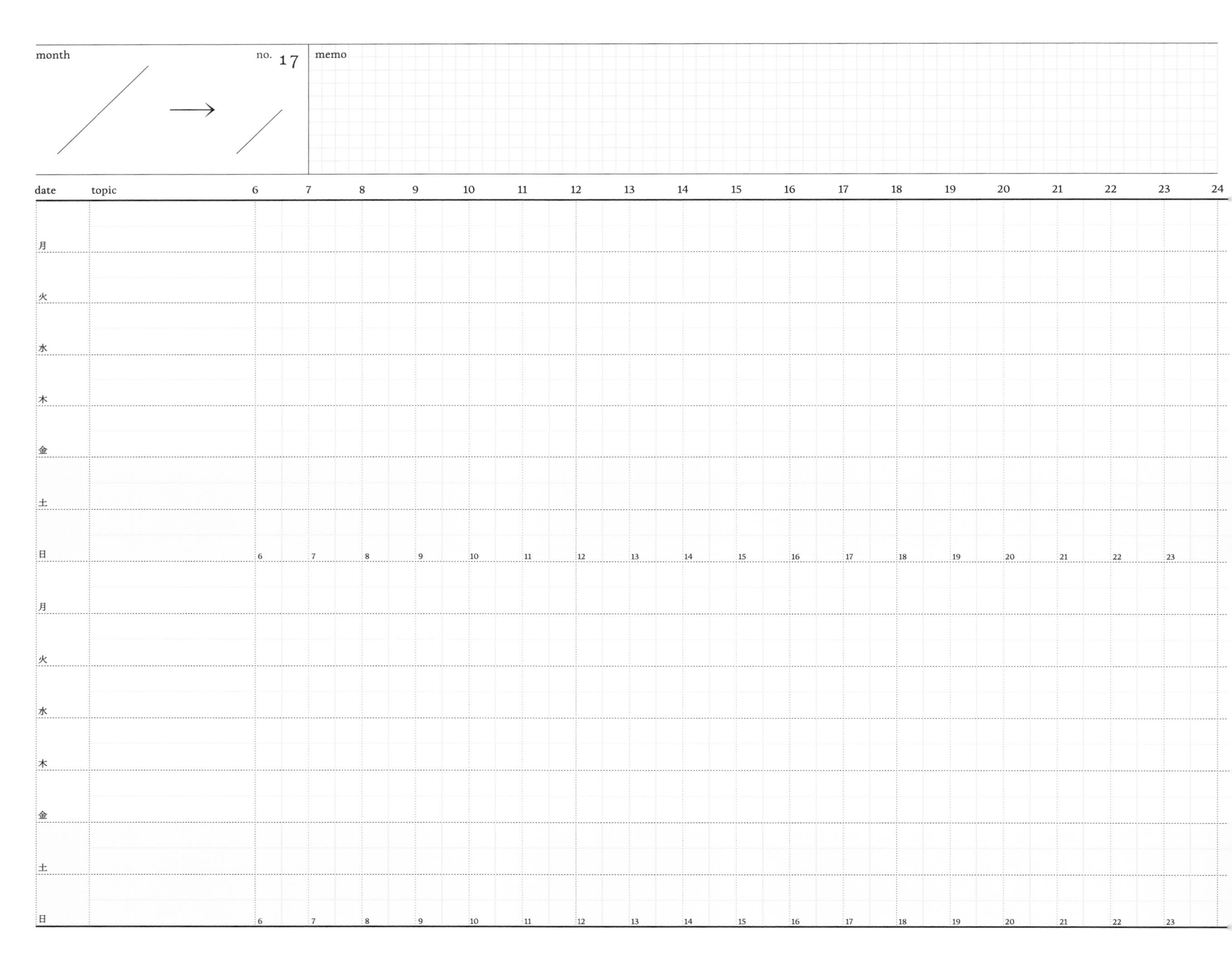
month
no. 17
memo
date
topic
6 7 8 9 10 11 12 13 14 15 16 17 18 19 20 21 22 23 24
月
火
水
木
金
土
日
6 7 8 9 10 11 12 13 14 15 16 17 18 19 20 21 22 23
月
火
水
木
金
土
日
6 7 8 9 10 11 12 13 14 15 16 17 18 19 20 21 22 23

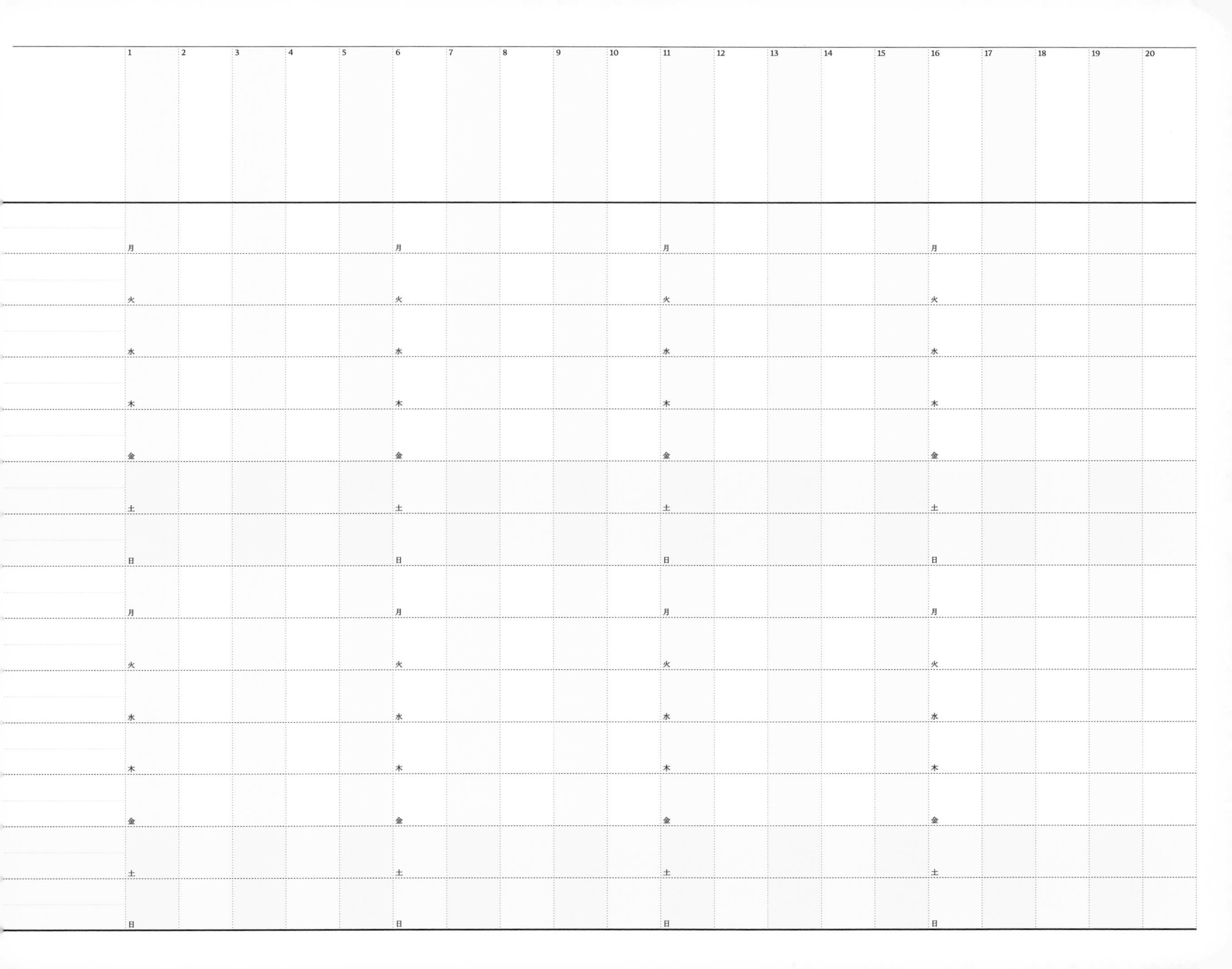

	1	2	3	4	5	6	7	8	9	10	11	12	13	14	15	16	17	18	19	20
	月					月					月					月				
	火					火					火					火				
	水					水					水					水				
	木					木					木					木				
	金					金					金					金				
	土					土					土					土				
	日					日					日					日				
	月					月					月					月				
	火					火					火					火				
	水					水					水					水				
	木					木					木					木				
	金					金					金					金				
	土					土					土					土				
	日					日					日					日				

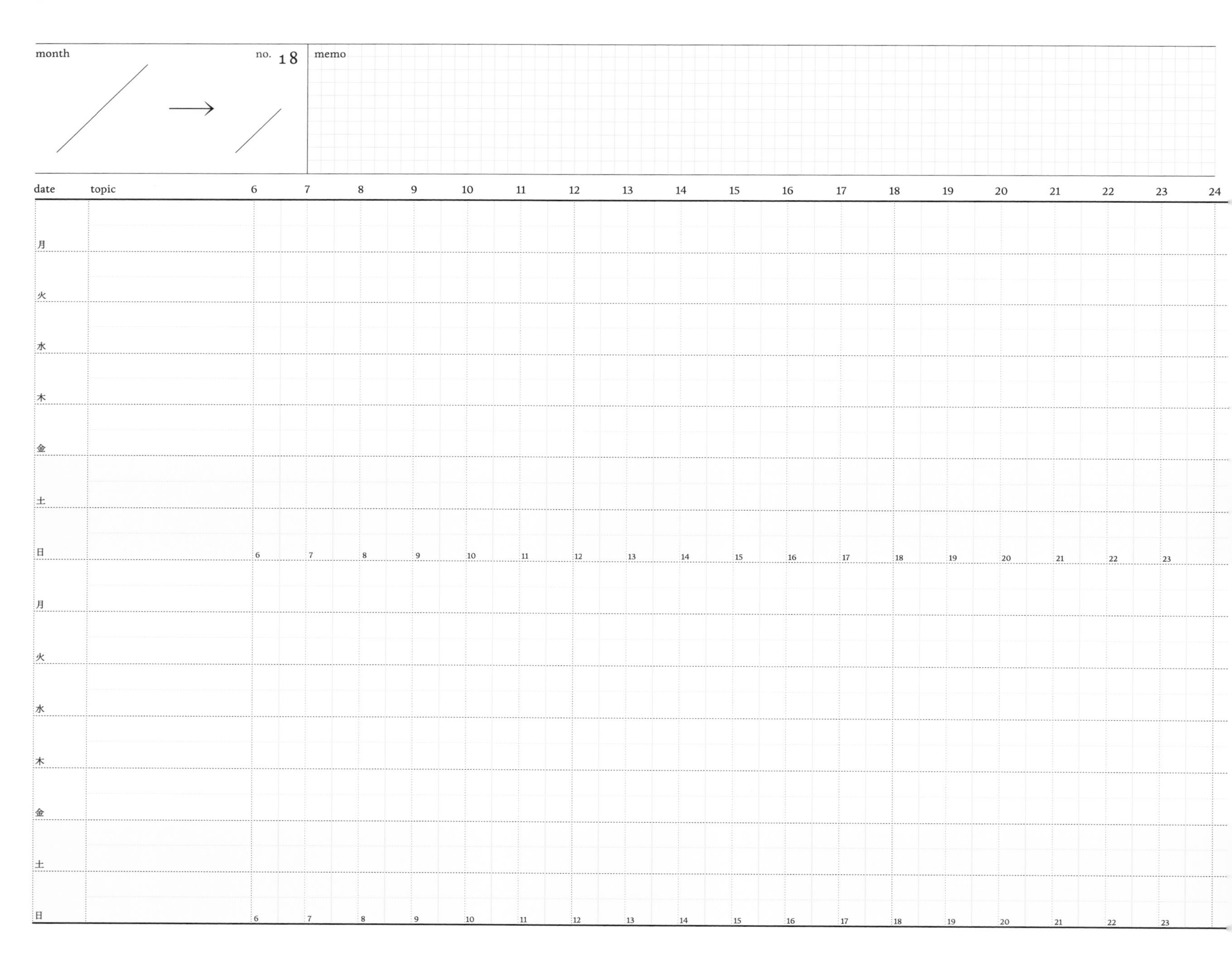
month
no. 18
memo
date
topic
6 7 8 9 10 11 12 13 14 15 16 17 18 19 20 21 22 23 24
月
火
水
木
金
土
日
6 7 8 9 10 11 12 13 14 15 16 17 18 19 20 21 22 23
月
火
水
木
金
土
日
6 7 8 9 10 11 12 13 14 15 16 17 18 19 20 21 22 23

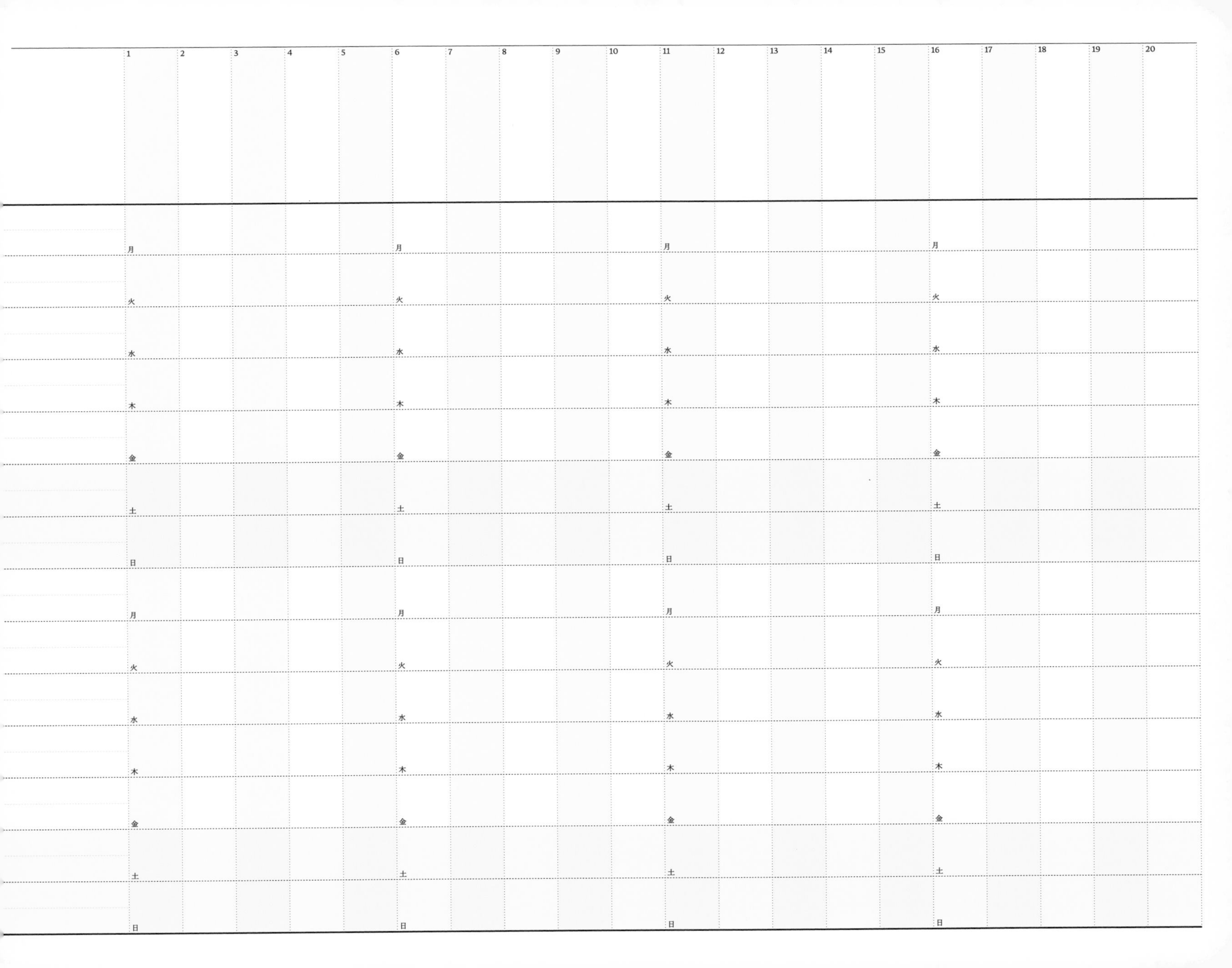
1 2 3 4 5 6 7 8 9 10 11 12 13 14 15 16 17 18 19 20
月
火
水
木
金
土
日
月
火
水
木
金
土
日

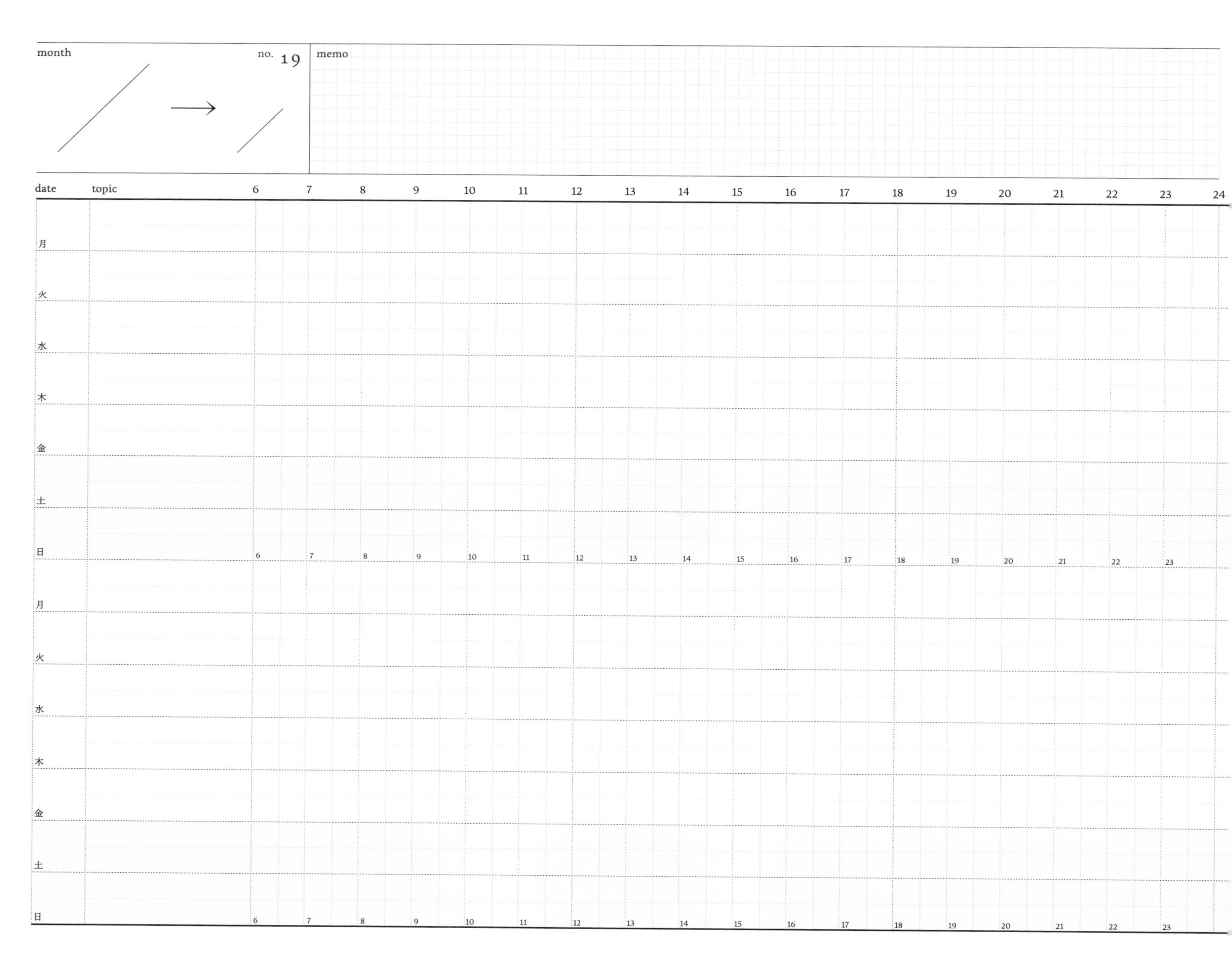
month
no. 19
memo
date
topic
6 7 8 9 10 11 12 13 14 15 16 17 18 19 20 21 22 23 24
月
火
水
木
金
土
日
6 7 8 9 10 11 12 13 14 15 16 17 18 19 20 21 22 23
月
火
水
木
金
土
日
6 7 8 9 10 11 12 13 14 15 16 17 18 19 20 21 22 23

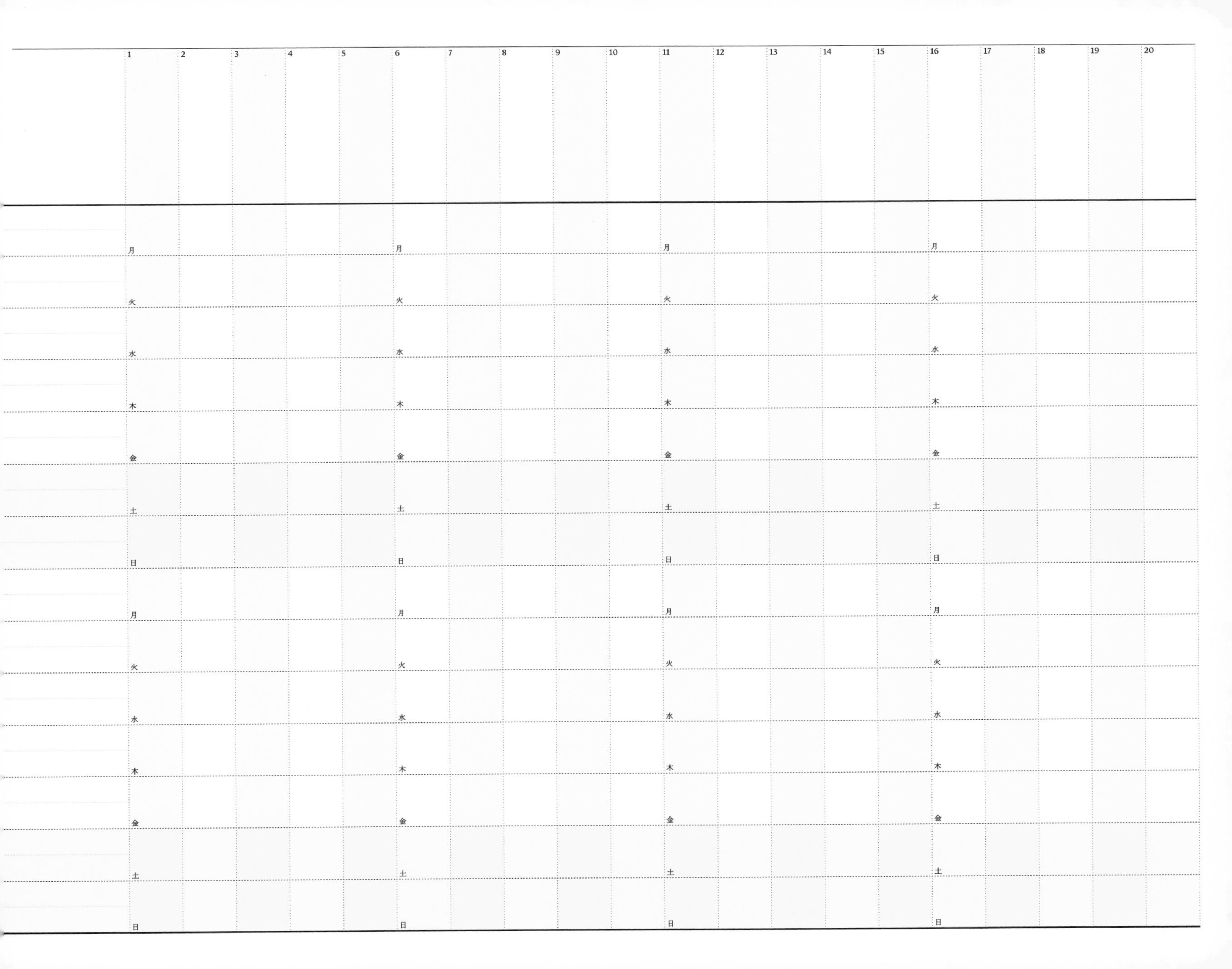
1 2 3 4 5 6 7 8 9 10 11 12 13 14 15 16 17 18 19 20
月
火
水
木
金
土
日
月
火
水
木
金
土
日

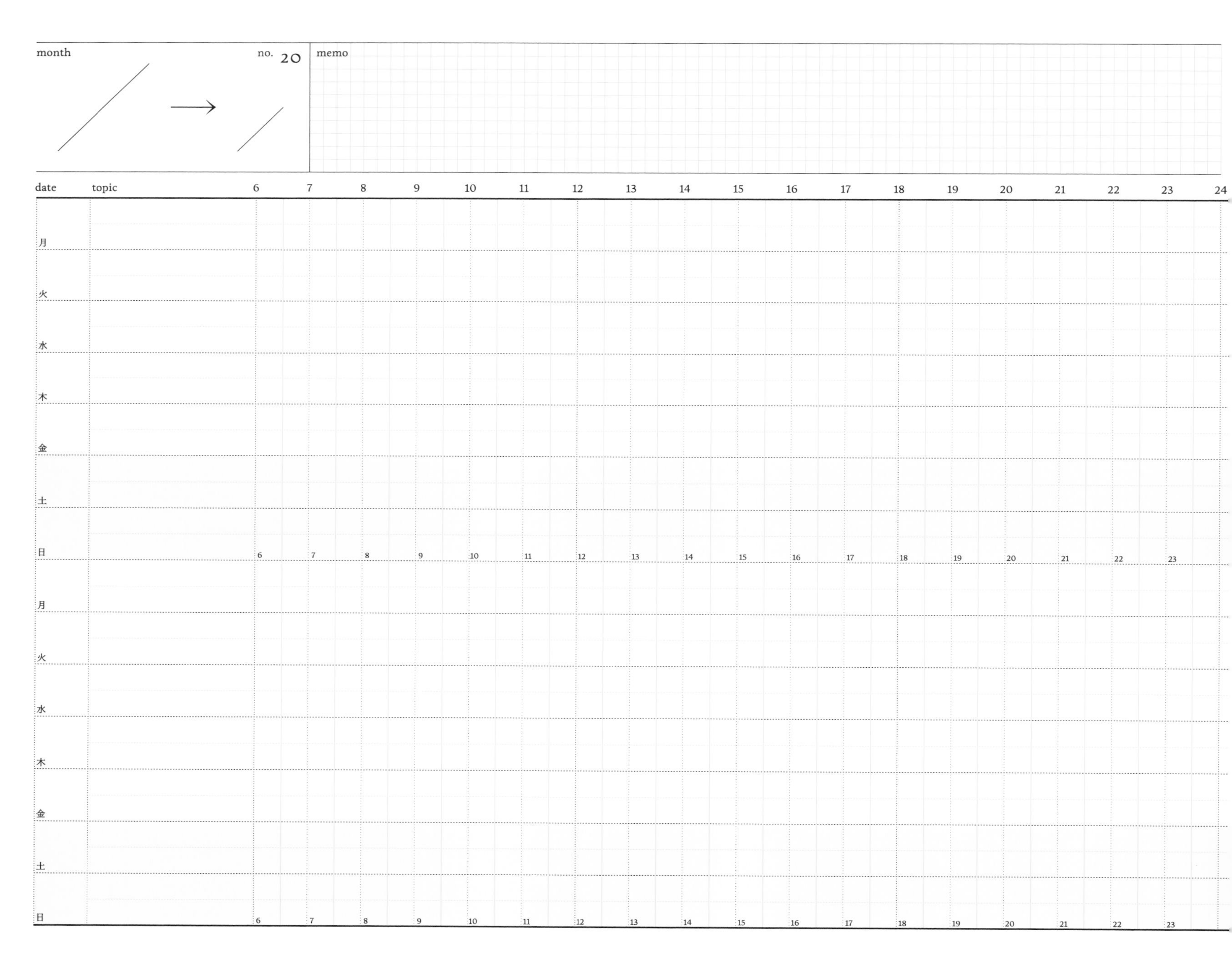
month
no. 20
memo
date
topic
6 7 8 9 10 11 12 13 14 15 16 17 18 19 20 21 22 23 24
月
火
水
木
金
土
日
月
火
水
木
金
土
日

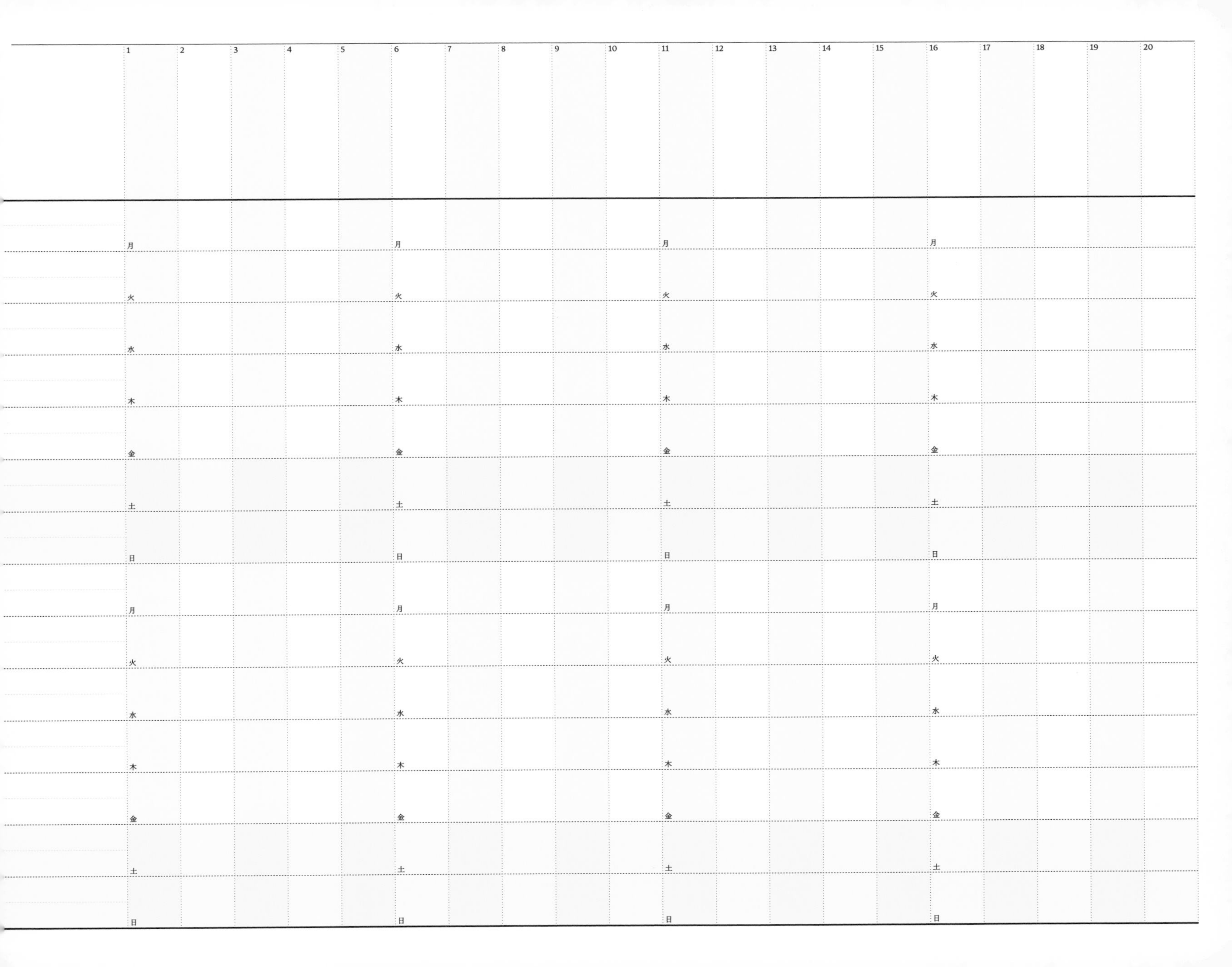
1 2 3 4 5 6 7 8 9 10 11 12 13 14 15 16 17 18 19 20
月
火
水
木
金
土
日
月
火
水
木
金
土
日

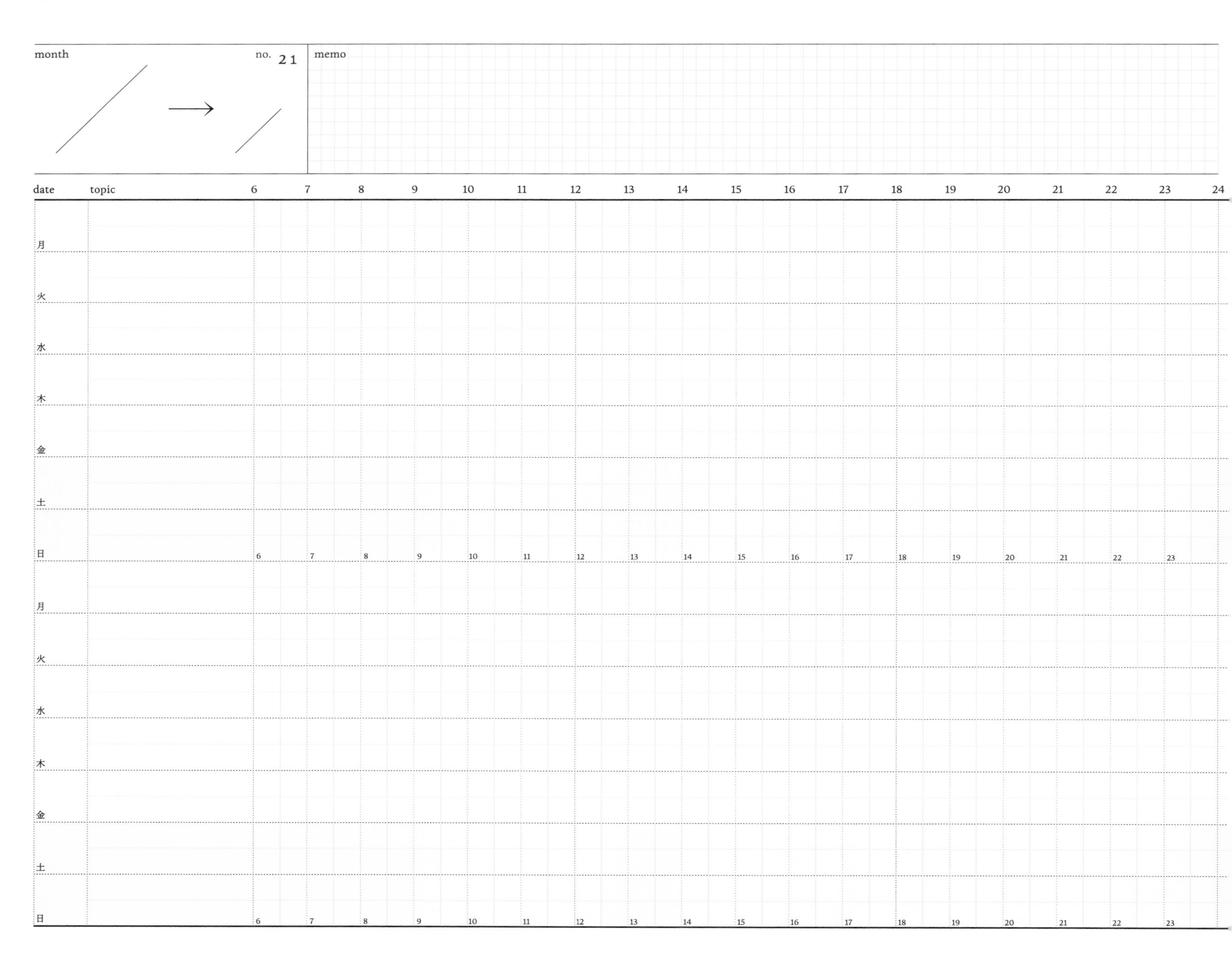
month
no. 21
memo
date
topic
6 7 8 9 10 11 12 13 14 15 16 17 18 19 20 21 22 23 24
月
火
水
木
金
土
日
6 7 8 9 10 11 12 13 14 15 16 17 18 19 20 21 22 23
月
火
水
木
金
土
日
6 7 8 9 10 11 12 13 14 15 16 17 18 19 20 21 22 23

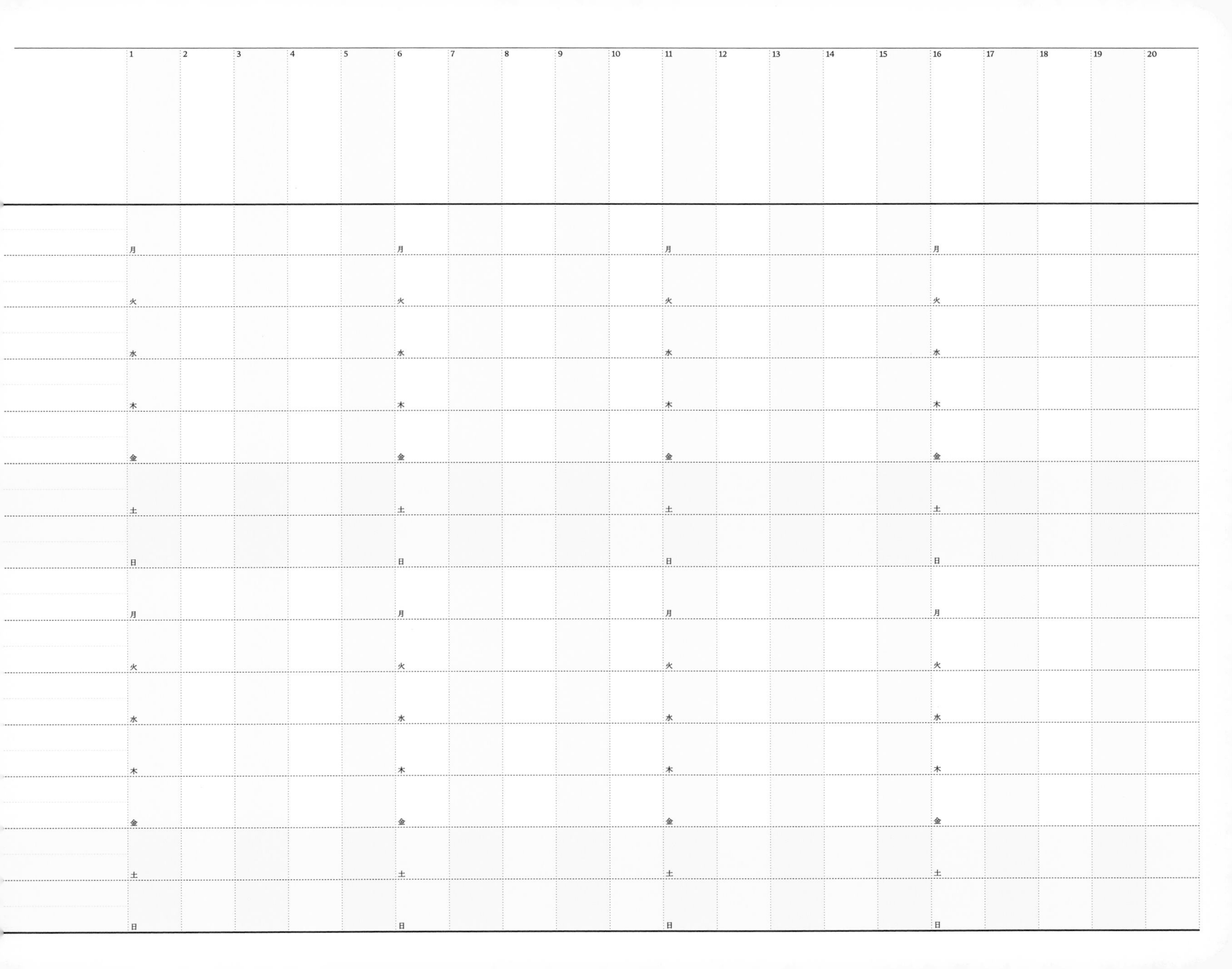

	1	2	3	4	5	6	7	8	9	10	11	12	13	14	15	16	17	18	19	20
	月					月					月					月				
	火					火					火					火				
	水					水					水					水				
	木					木					木					木				
	金					金					金					金				
	土					土					土					土				
	日					日					日					日				
	月					月					月					月				
	火					火					火					火				
	水					水					水					水				
	木					木					木					木				
	金					金					金					金				
	土					土					土					土				
	日					日					日					日				

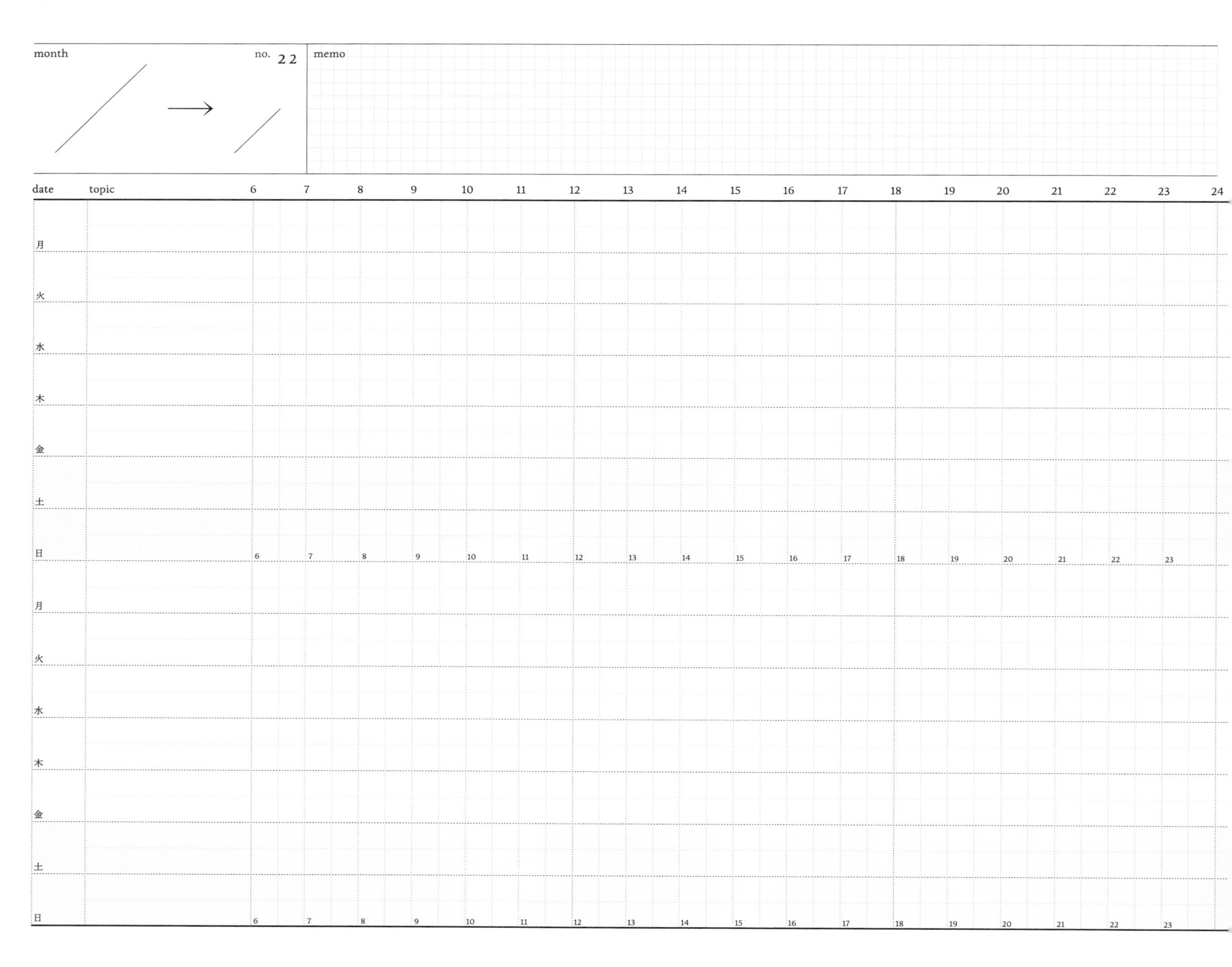
month
no. 22
memo
date
topic
6 7 8 9 10 11 12 13 14 15 16 17 18 19 20 21 22 23 24
月
火
水
木
金
土
日
6 7 8 9 10 11 12 13 14 15 16 17 18 19 20 21 22 23
月
火
水
木
金
土
日
6 7 8 9 10 11 12 13 14 15 16 17 18 19 20 21 22 23

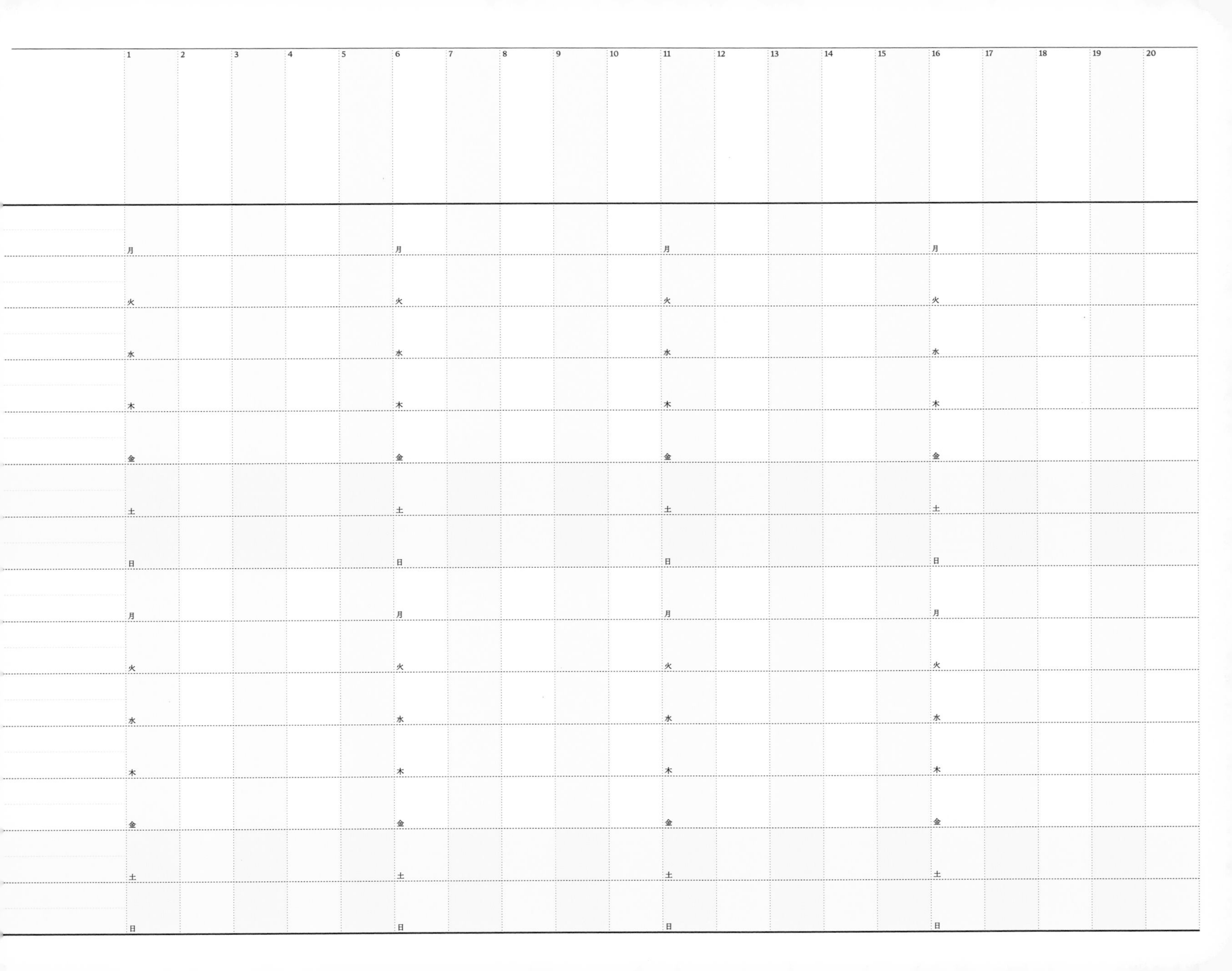
1 2 3 4 5 6 7 8 9 10 11 12 13 14 15 16 17 18 19 20
月
火
水
木
金
土
日
月
火
水
木
金
土
日

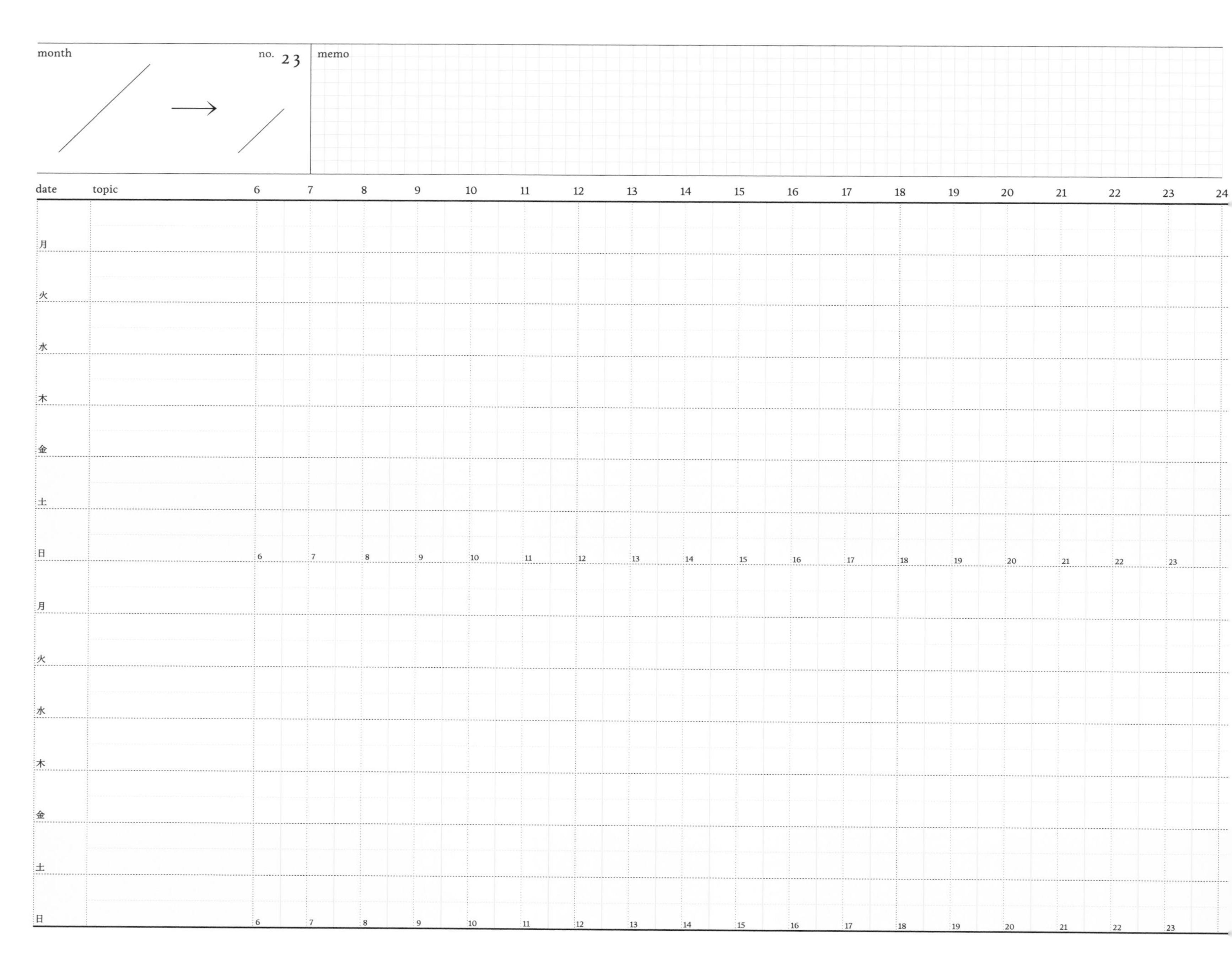
month
no. 23
memo
date
topic
6 7 8 9 10 11 12 13 14 15 16 17 18 19 20 21 22 23 24
月
火
水
木
金
土
日
6 7 8 9 10 11 12 13 14 15 16 17 18 19 20 21 22 23
月
火
水
木
金
土
日
6 7 8 9 10 11 12 13 14 15 16 17 18 19 20 21 22 23

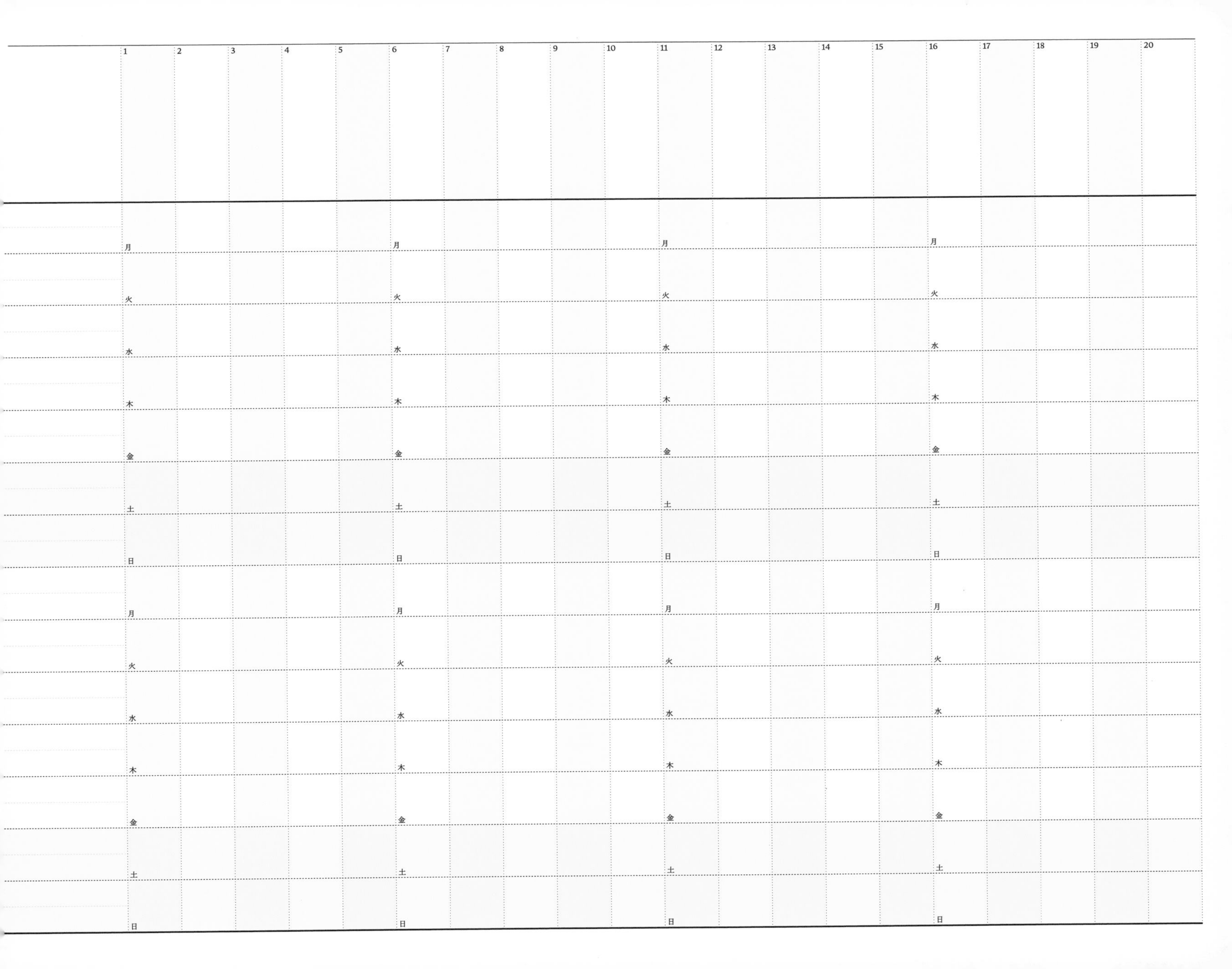
1 2 3 4 5 6 7 8 9 10 11 12 13 14 15 16 17 18 19 20
月
火
水
木
金
土
日
月
火
水
木
金
土
日

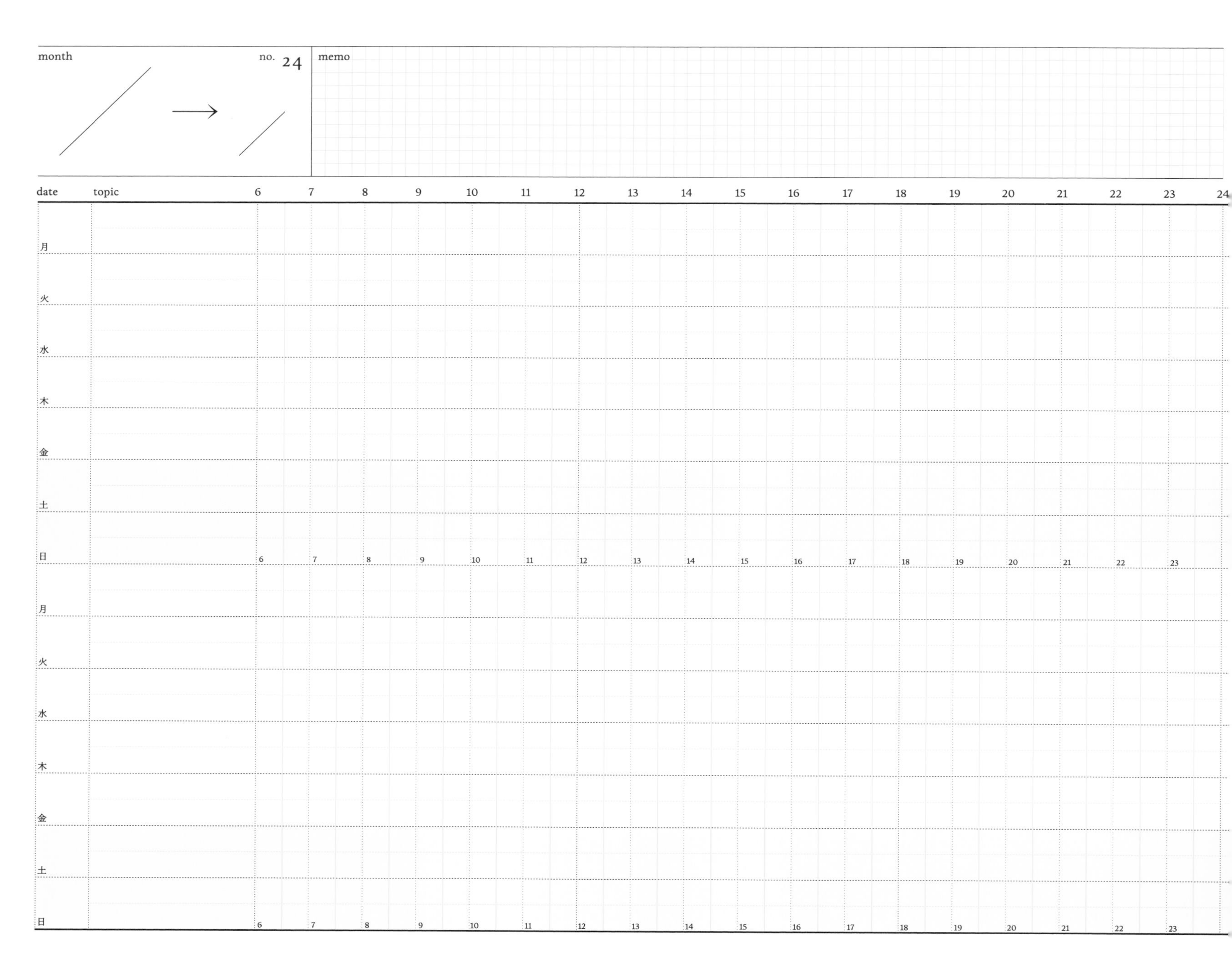
month
no. 24
memo
date
topic
6 7 8 9 10 11 12 13 14 15 16 17 18 19 20 21 22 23 24
月
火
水
木
金
土
日
6 7 8 9 10 11 12 13 14 15 16 17 18 19 20 21 22 23
月
火
水
木
金
土
日
6 7 8 9 10 11 12 13 14 15 16 17 18 19 20 21 22 23

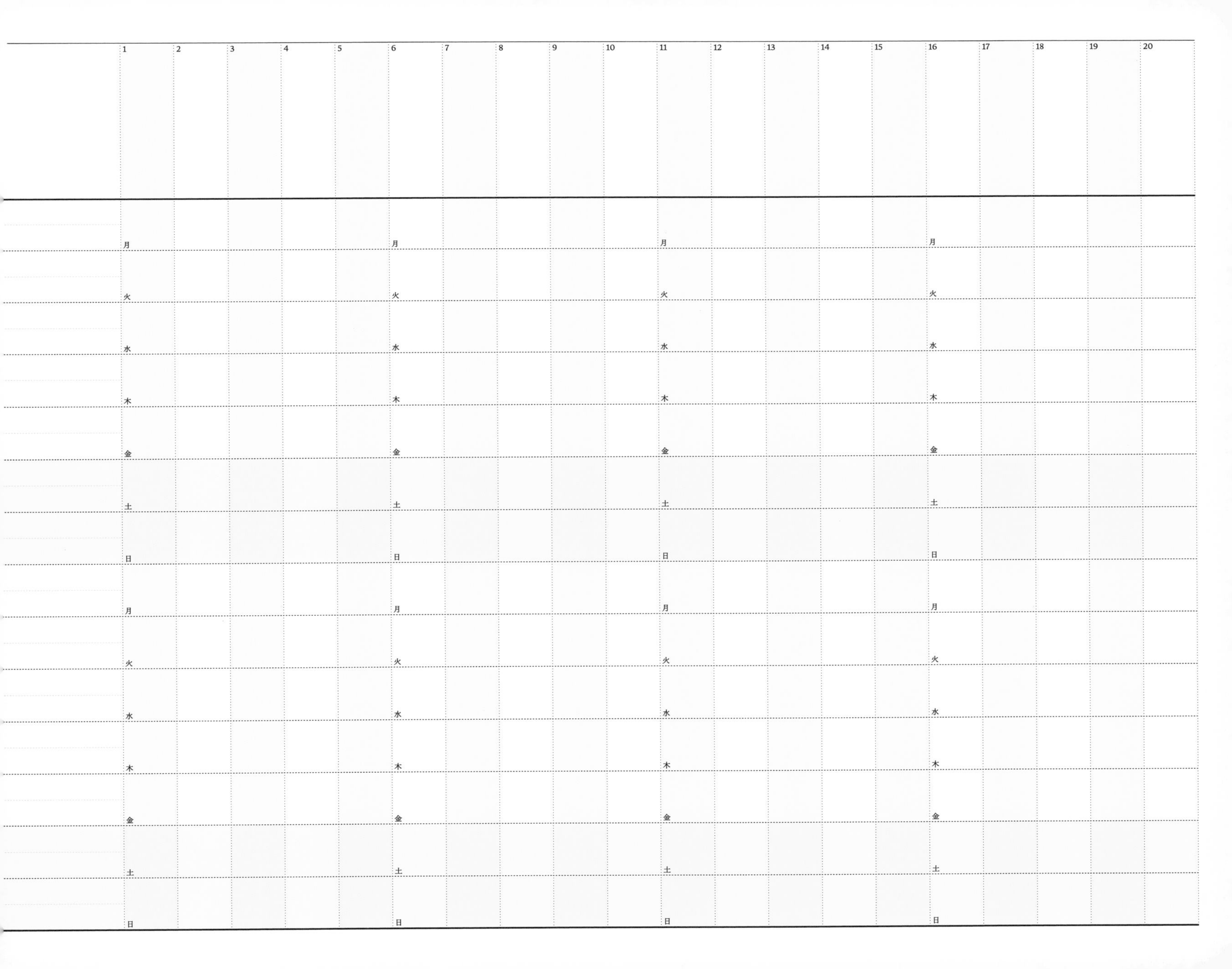

	1	2	3	4	5	6	7	8	9	10	11	12	13	14	15	16	17	18	19	20
	月					月					月					月				
	火					火					火					火				
	水					水					水					水				
	木					木					木					木				
	金					金					金					金				
	土					土					土					土				
	日					日					日					日				
	月					月					月					月				
	火					火					火					火				
	水					水					水					水				
	木					木					木					木				
	金					金					金					金				
	土					土					土					土				
	日					日					日					日				

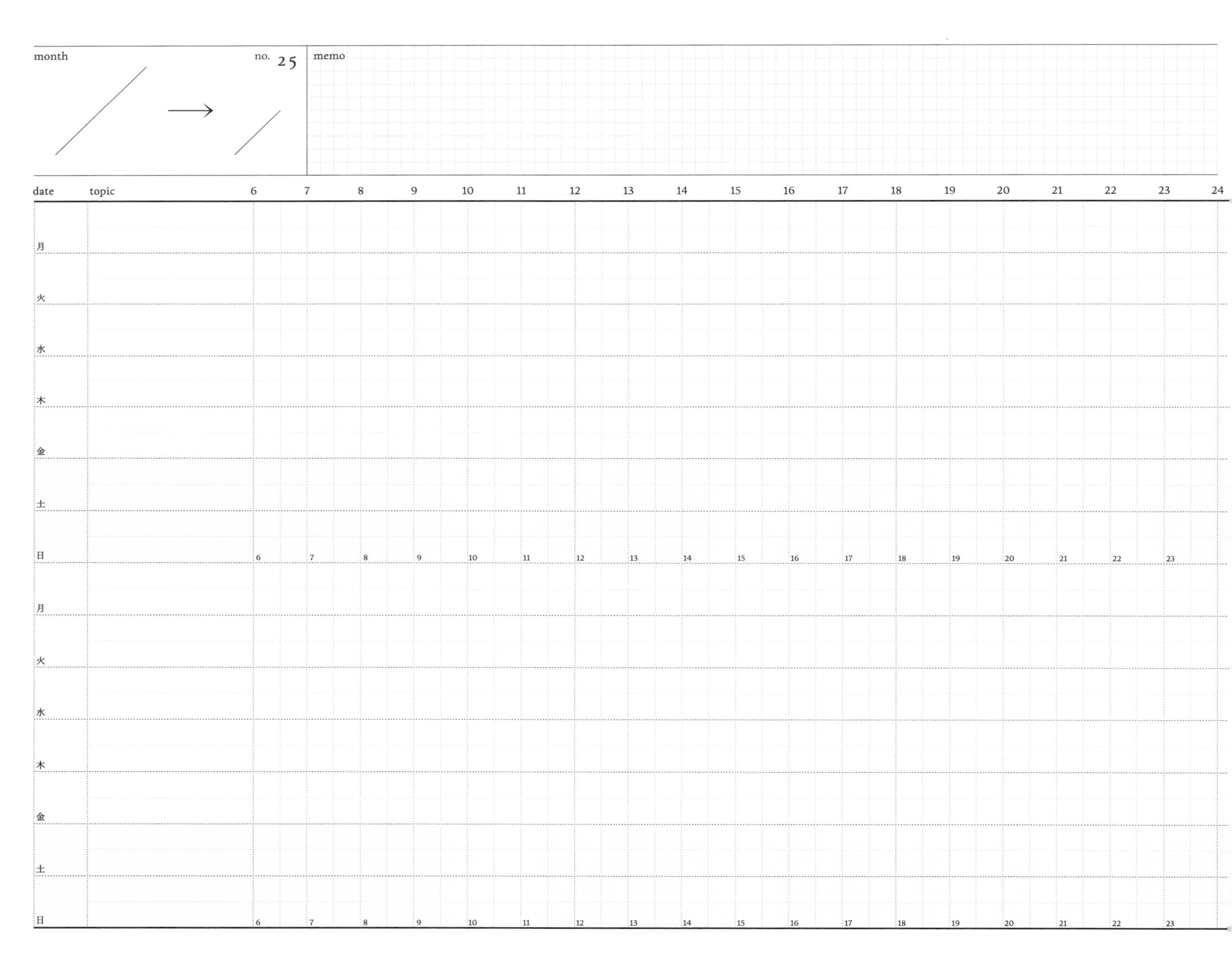
month
no. 25
memo
date
topic
6
7
8
9
10
11
12
13
14
15
16
17
18
19
20
21
22
23
24
月
火
水
木
金
土
日
月
火
水
木
金
土
日

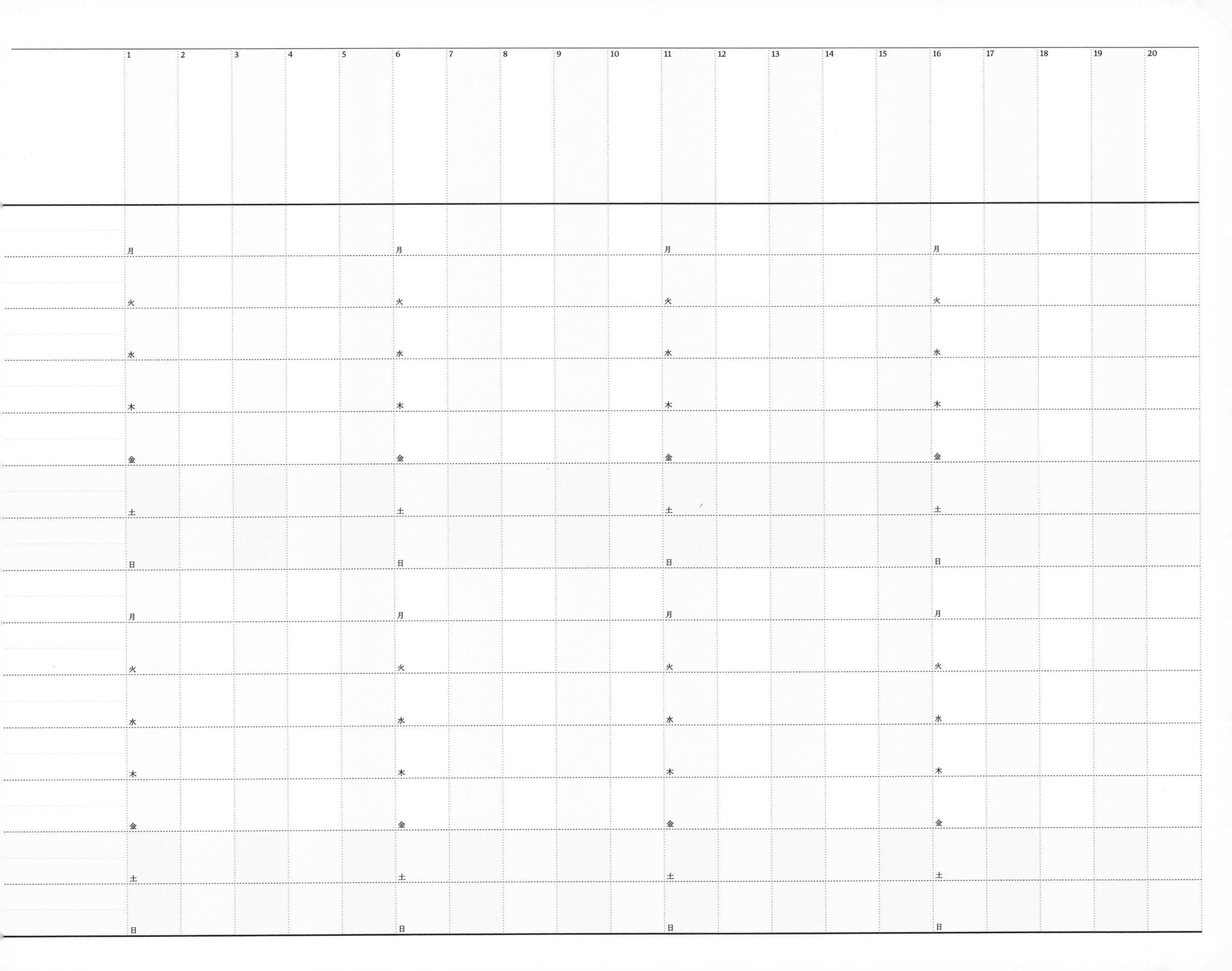
1 2 3 4 5 6 7 8 9 10 11 12 13 14 15 16 17 18 19 20
月
火
水
木
金
土
日
月
火
水
木
金
土
日

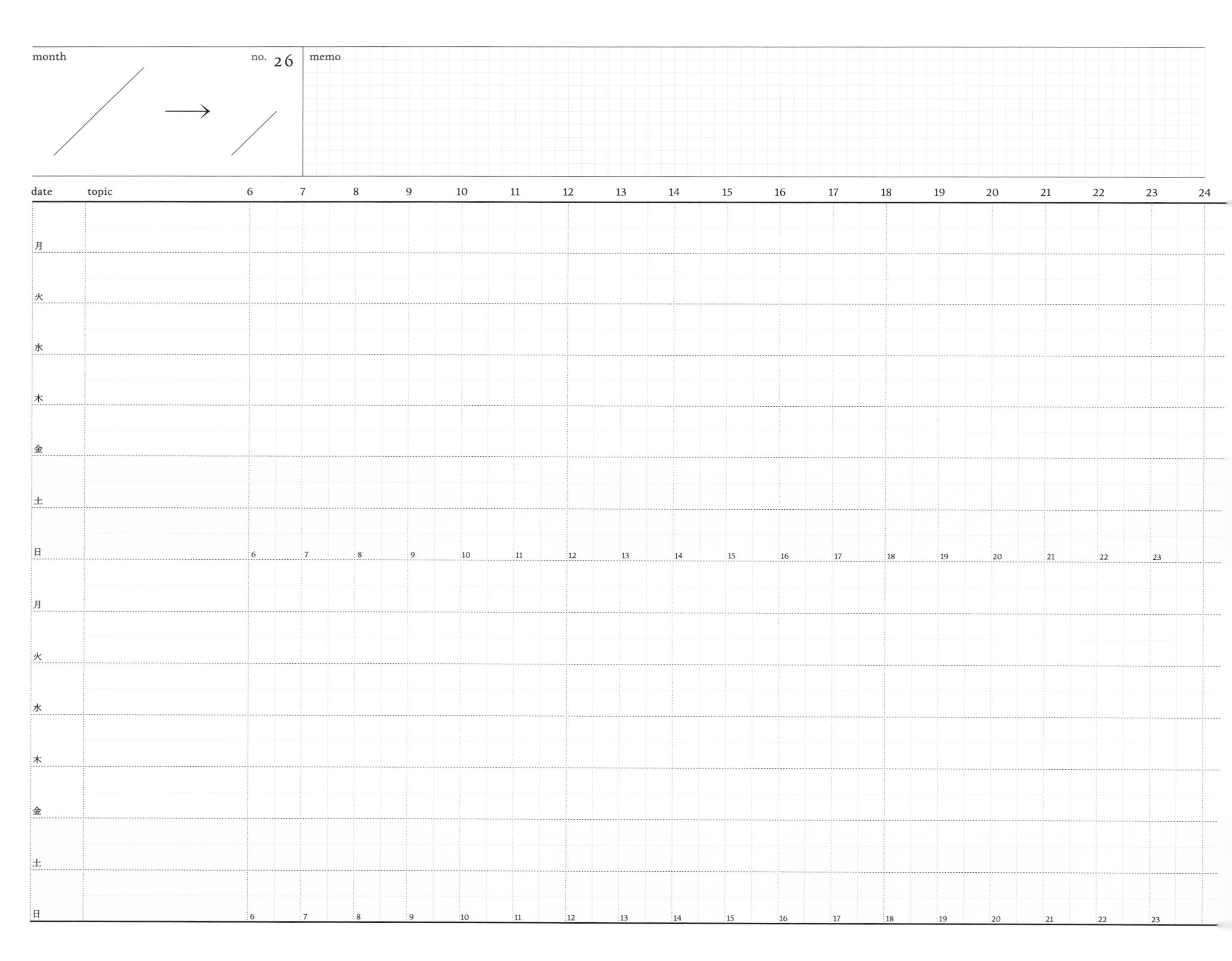
month
no. 26
memo
date
topic
6 7 8 9 10 11 12 13 14 15 16 17 18 19 20 21 22 23 24
月
火
水
木
金
土
日
6 7 8 9 10 11 12 13 14 15 16 17 18 19 20 21 22 23
月
火
水
木
金
土
日
6 7 8 9 10 11 12 13 14 15 16 17 18 19 20 21 22 23

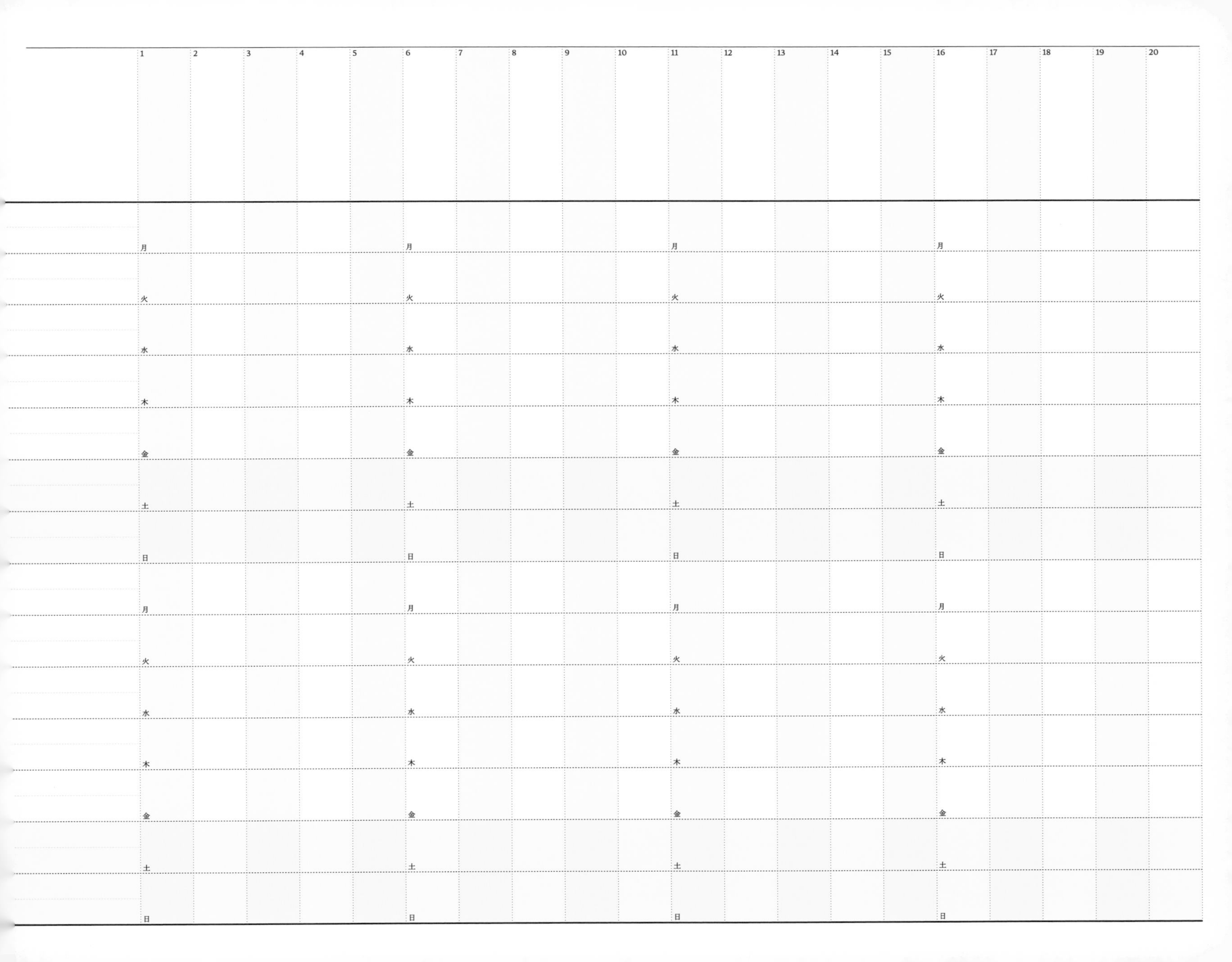
1 2 3 4 5 6 7 8 9 10 11 12 13 14 15 16 17 18 19 20
月
火
水
木
金
土
日
月
火
水
木
金
土
日

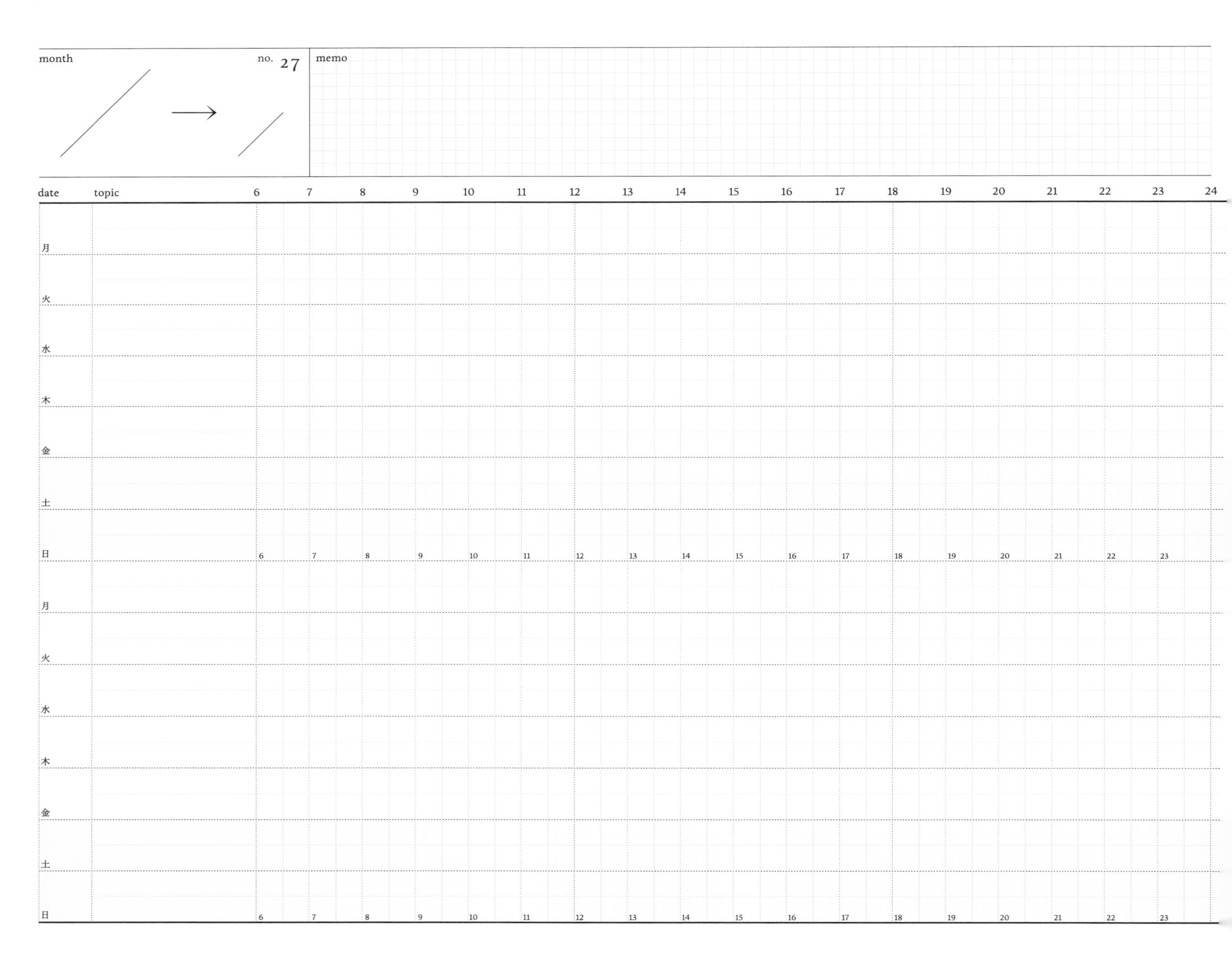
month

no. 27

memo

date	topic	6	7	8	9	10	11	12	13	14	15	16	17	18	19	20	21	22	23	24
月																				
火																				
水																				
木																				
金																				
土																				
日		6	7	8	9	10	11	12	13	14	15	16	17	18	19	20	21	22	23	
月																				
火																				
水																				
木																				
金																				
土																				
日		6	7	8	9	10	11	12	13	14	15	16	17	18	19	20	21	22	23	

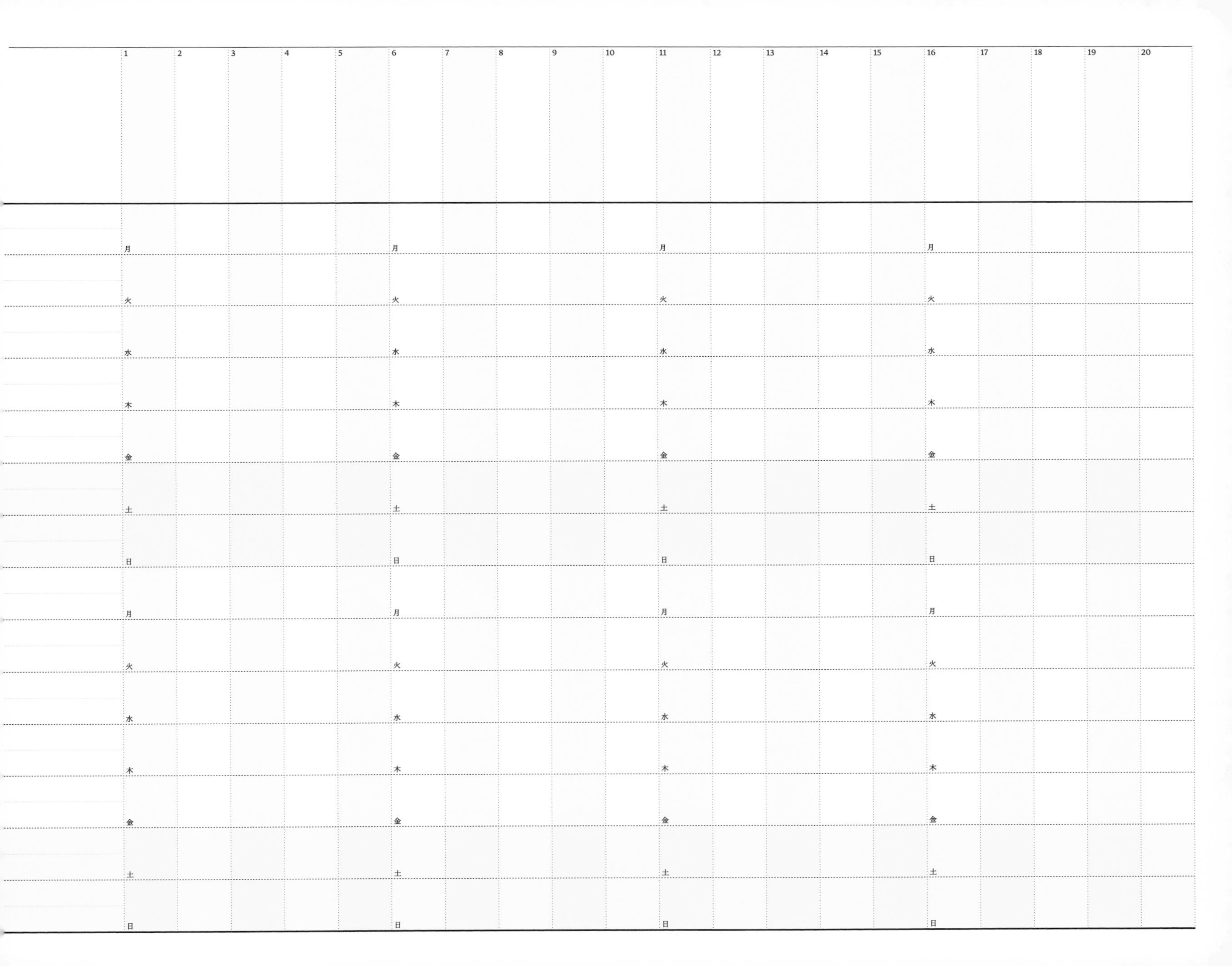
1 2 3 4 5 6 7 8 9 10 11 12 13 14 15 16 17 18 19 20
月
火
水
木
金
土
日
月
火
水
木
金
土
日

yPad azure　2023年9月30日　第1刷発行
● 著者／寄藤文平 ● 発行者／宇都宮健太朗 ● 発行所／朝日新聞出版 〒104-8011 東京都中央区築地5-3-2 ● 電話／03-5541-8814（編集）03-5540-7793（販売）● 印刷所／大日本印刷株式会社

ISBN 978-4-02-332305-6

紙寸法表

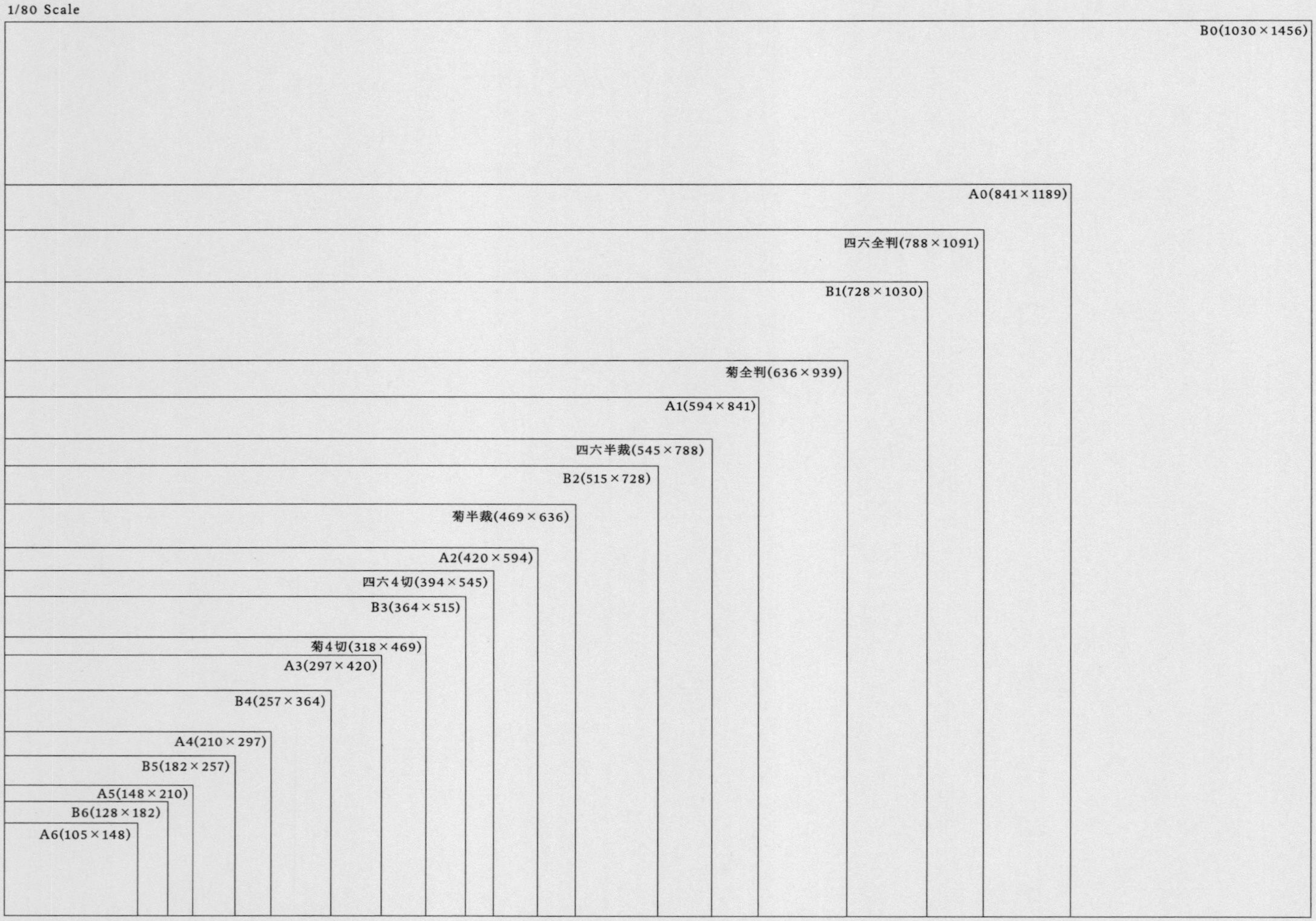

1/80 Scale

B0(1030×1456)
A0(841×1189)
四六全判(788×1091)
B1(728×1030)
菊全判(636×939)
A1(594×841)
四六半裁(545×788)
B2(515×728)
菊半裁(469×636)
A2(420×594)
四六4切(394×545)
B3(364×515)
菊4切(318×469)
A3(297×420)
B4(257×364)
A4(210×297)
B5(182×257)
A5(148×210)
B6(128×182)
A6(105×148)

紙加工仕上寸法=mm

A10	26×37	A6	105×148	A2	420×594
A9	37×52	A5	148×210	A1	594×841
A8	52×74	A4	210×297	A0	841×1189
A7	74×105	A3	297×420		

B10	32×45	B6	128×182	B2	515×728
B9	45×64	B5	182×257	B1	728×1030
B8	64×91	B4	257×364	B0	1030×1456
B7	91×128	B3	364×515		

新書判	103×182
四六判	127×188
四六倍判	188×254
菊判	152×218
菊倍判	218×304

原紙寸法

A列本判	625×880
B列本判	765×1085
四六判	788×1091
菊判	636×939
ハトロン判	900×1200
AB判	880×1085

0 1 2 3 4 5 6 7 8 9 10 11 12 13 14 15 16 17 18 19 20

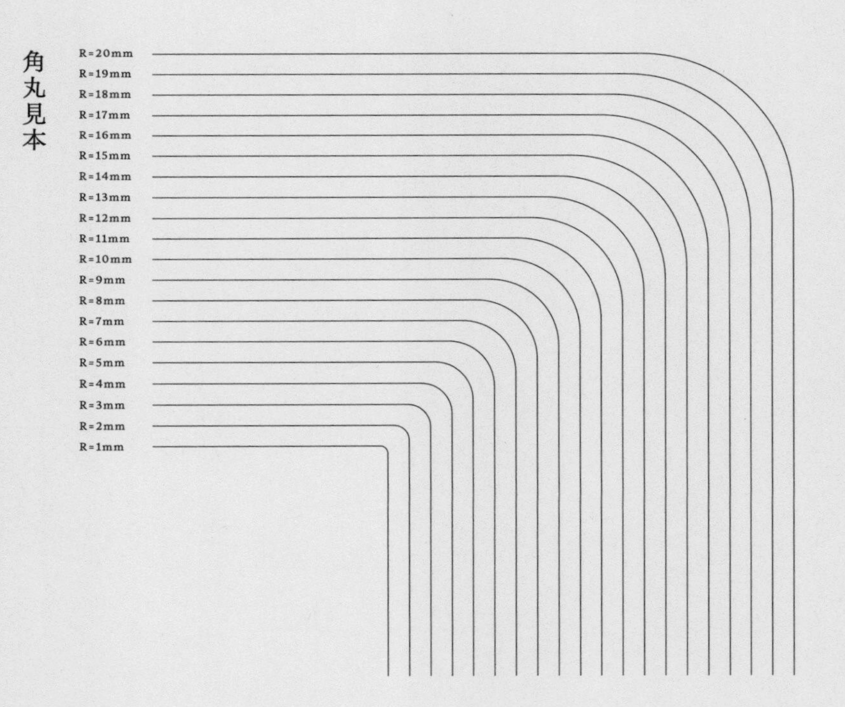

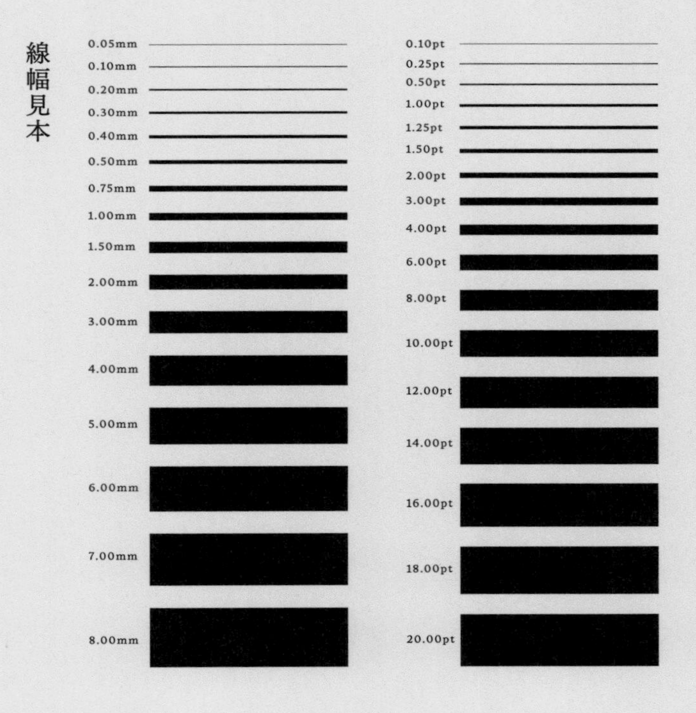

文字サイズ見本

4pt 5pt 6pt 7pt 8pt 9pt 10pt 11pt 12pt 13pt 14pt 15pt 16pt 17pt 18pt 19pt 20pt

4Q 5Q 6Q 7Q 8Q 9Q 10Q 11Q 12Q 13Q 14Q 15Q 16Q 17Q 18Q 19Q 20Q 21Q 22Q 23Q 24Q 25Q 26Q 27Q 28Q

永 永

永 永 永 永 永 永 永 永 永 永

100Q 90Q 80Q 70Q 62Q 55Q 50Q 44Q 38Q 32Q

65pt 60pt 55pt 50pt 45pt 40pt 35pt 30pt 25pt

初号 - 42pt
一号 - 27.5pt
二号 - 21pt
三号 - 16pt
四号 - 13.75pt
五号 - 10.5pt
六号 - 8pt
七号 - 5.25pt
八号 - 4pt

1pt≒0.353mm
1Q＝0.25mm

書体名称表

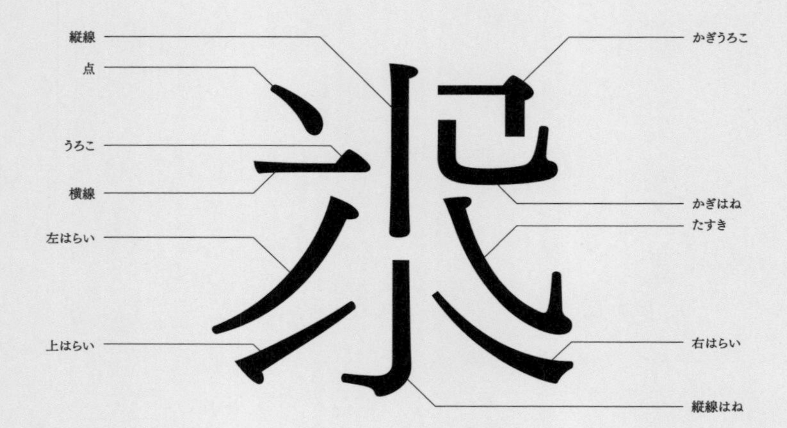

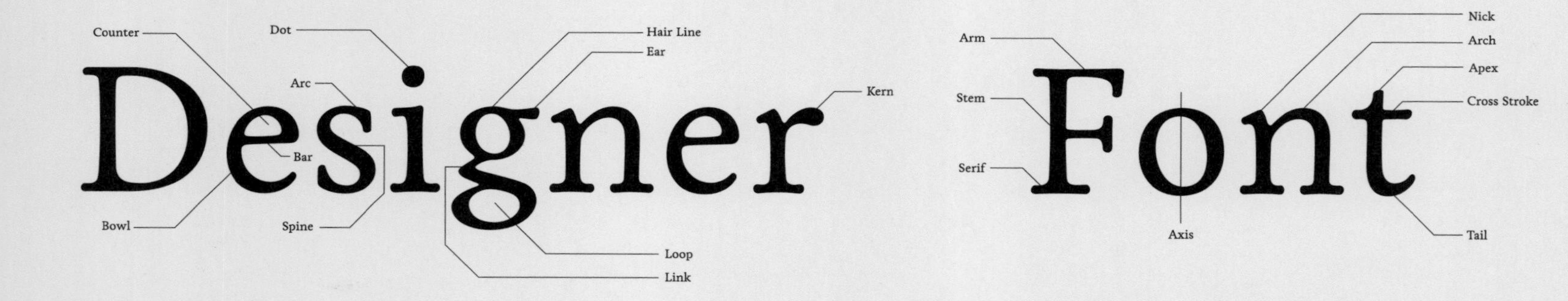

ファイブライン

Ascender line
Capital line
Mean line
Base line
Descender line

Graphic

Ascender
X-Height
Descender
Capital Height
Body Size